义务教育教科书

语文

七年级 七 七年级

下册

教育部组织编写

总主编 温儒敏

人民教育出版社

·北京·

总 主 编：温儒敏

初中主编：王本华（执行）　曹文轩　顾之川　张笑庸

编写人员：（以姓氏笔画为序）

王　涧　李世中　姚守梅　倪文尖

唐建新　曹　睨　韩　涵　靳　彤

责任编辑：韩　涵

美术编辑：张　蓓　惠凌峰

美术设计：刘晓翔

插图绘制：李　晨　王弘力　李　旻

封面设计：吕　旻　李宏庆

义务教育教科书

语　文

七年级　下册

教育部组织编写

*

人民教育出版社 出版发行

网址：http://www.pep.com.cn

北京盛通印刷股份有限公司印装　全国新华书店经销

*

开本：787毫米×1 092毫米　1/16　印张：10.75　字数：185 000

2016年11月第1版　2016年12月第1次印刷

ISBN 978-7-107-31488-9　定价：10.45 元

价格依据文件号：京发改规［2016］13号

著作权所有·请勿擅用本书制作各类出版物·违者必究

如发现印、装质量问题，影响阅读，请与本社出版部联系调换。

联系地址：北京市海淀区中关村南大街 17 号院 1 号楼　邮编：100081

电话：010-58759215　　电子邮箱：yzzlfk@pep.com.cn

目　录

注：阅读课文分"教读"和"自读"两类。篇名前标有＊的为自读课文。

第一单元

历史的星空，因有众多杰出人物而光辉灿烂。他们中有叱咤风云的政治家，有决胜千里的军事家，有博学睿智的科学家，还有为人类奉献宝贵精神食粮的文学艺术家……阅读本单元的课文，能让我们感受到他们的非凡气质，唤起我们对理想的憧憬与追求。

本单元学习精读的方法。在通览全篇、了解大意的基础上，把握关键语句或段落，字斟句酌，揣摩品味其含义和表达的妙处；注意结合人物生平及其所处时代，透过细节描写，把握人物特征，理解人物的思想感情。

1 邓稼先①

杨振宁

预习

◎ 张爱萍将军在给邓稼先的挽诗中写道："君视名利如粪土，许身国威壮河山。哀君早辞世，功勋泽人间。"课外搜集资料，了解邓稼先的功绩与品行。

◎ 作者杨振宁与邓稼先同窗数载，有着50年的友谊。边读边体会作者纪念亡友的深情，把最让你感动的语句画出来。

从"任人宰割"到"站起来了"

一百年以前，甲午战争和八国联军时代，恐怕是中华民族五千年历史上最黑暗最悲惨的时代，只举1898年为例：

德国强占山东胶州湾，"租借"99年。

俄国强占辽宁旅顺大连，"租借"25年。

法国强占广东广州湾，"租借"99年。

英国强占山东威海卫与香港新界，前者"租借"25年，后者"租借"99年。

那是中华民族任人宰割的时代，是有亡国灭种的危险的时代。

今天，一个世纪以后，中国人民站起来了。

这是千千万万人努力的结果，是许许多多可歌可泣的英雄人物创造出来的伟大胜利。在20世纪人类历史上，这可能是最重要的、影响最深远的巨大转变。

---

① 选自1993年8月21日《人民日报》。有改动。邓稼先（1924—1986），安徽怀宁人，核物理学家、核武器科学和技术专家。中国研制和发展核武器的重要技术领导人，为中国成功研制原子弹、氢弹和新型核武器做出了重大贡献。1999年，中共中央、国务院、中央军委追授他"两弹一星"功勋奖章。杨振宁，1922年生于安徽合肥，美籍华裔理论物理学家。与李政道共获1957年诺贝尔物理学奖。

对这一转变做出了巨大贡献的，有一位长期以来鲜为人知的科学家——邓稼先。

"两弹"元勋

邓稼先

邓稼先1924年出生在安徽省怀宁县。在北平上了小学和中学，于1945年自昆明西南联大①毕业。1948年到1950年赴美国普渡大学读理论物理，获得博士学位后立即乘船回国。1950年10月到中国科学院工作。1958年8月奉命带领几十个大学毕业生开始研究原子弹制造的理论。

这以后的28年间，邓稼先始终站在中国原子武器设计制造和研究的第一线，领导许多学者和技术人员，成功地设计了中国的原子弹和氢弹，把中华民族国防自卫武器引导到了世界先进水平。

1964年10月16日中国爆炸了第一颗原子弹。

1967年6月17日中国爆炸了第一颗氢弹。

这些日子是中华民族五千年历史上的重要日子，是中华民族完全摆脱任人宰割危机的新生日子！

1967年以后邓稼先继续他的工作，至死不懈，对国防武器做出了许多新的巨大贡献。

1985年8月邓稼先做了切除直肠癌的手术。次年3月又做了第二次手术。在这期间他和于敏②联合署名写了一份关于中华人民共和国核武器发展的建议书。1986年5月邓稼先做了第三次手术，7月29日因全身大出血而逝世。

"鞠躬尽瘁，死而后已"正好准确地描述了他的一生。

邓稼先是中华民族核武器事业的奠基人和开拓者。张爱萍将军称他为"'两弹'元勋"，他是当之无愧的。

---

① 〔西南联大〕全称"国立西南联合大学"。抗日战争期间，北京大学、清华大学和南开大学迁往长沙，合并成立长沙临时大学，后又迁至昆明，更名为"国立西南联合大学"。抗战胜利后，三校回迁复校。

② 〔于敏〕1926年生于河北宁河（今属天津），核物理学家、核武器科学和技术专家。长期领导并参加核武器的研究、设计工作。获"两弹一星"功勋奖章、2014年度国家最高科技奖。

邓稼先与奥本海默[①]

1936年到1937年，稼先和我在北平崇德中学同学一年；后来在西南联大我们又是同学；以后他在美国留学的两年期间我们曾住同屋。50年的友谊，亲如兄弟。

1949年到1966年我在普林斯顿高等学术研究所工作，前后17年的时间里所长都是物理学家奥本海默。当时，他是美国家喻户晓的人物，因为他曾成功地领导战时美国的原子弹制造工作。高等学术研究所是一个很小的研究所，物理教授最多的时候只有五个人，奥本海默是其中之一，所以我和他很熟识。

奥本海默和邓稼先分别是美国和中国原子弹设计的领导人，各是两国的功臣，可是他们的性格和为人却截然不同——甚至可以说他们走向了两个相反的极端。

奥本海默是一个拔尖的人物，锋芒毕露。他二十几岁的时候在德国哥廷根镇做玻恩[②]的研究生。玻恩在他晚年所写的自传中说，研究生奥本海默常常在别人做学术报告时（包括玻恩做学术报告时）打断报告，走上讲台拿起粉笔说："这可以用底下的办法做得更好……"我认识奥本海默时他已四十多岁了，已经是妇孺皆知的人物了，打断别人的报告，使演讲者难堪的事仍然时有发生，不过比起以前要少一些。佩服他、仰慕他的人很多，不喜欢他的人也不少。

邓稼先则是一个最不要引人注目的人物。和他谈话几分钟，就看出他是忠厚平实的人。他真诚坦白，从不骄人。他没有小心眼儿，一生喜欢"纯"字所代表的品格。在我所认识的知识分子当中，包括中国人和外国人，他是最有中国农民的朴实气质的人。

我想邓稼先的气质和品格是他所以能成功地领导各阶层许许多多工作者，为中华民族做了历史性贡献的原因：人们知道他没有私心，人们绝对相信他。

"文革"初期，他所在的研究院（九院）和当时全国其他单位一样，成立了两派群众组织，对吵对打。而邓稼先竟有能力说服两派继续工作，于1967年6月成功地制成了氢弹。

---

① 〔奥本海默（1904—1967）〕美国理论物理学家，被称为美国"原子弹之父"。
② 〔玻恩（1882—1970）〕德国理论物理学家，量子力学的奠基人之一。获1954年诺贝尔物理学奖。

1971年，在他和他的同事们被"四人帮"①批判围攻的时候，如果别人去和工宣队②、军宣队③讲理，恐怕要出惨案。而邓稼先去了，竟能说服工宣队、军宣队的队员。这是真正的奇迹。

　　邓稼先是中国几千年传统文化所孕育出来的有最高奉献精神的儿子。

　　邓稼先是中国共产党的理想党员。

　　我以为邓稼先如果是美国人，不可能成功地领导美国原子弹工程；奥本海默如果是中国人，也不可能成功地领导中国原子弹工程。当初选聘他们的人，钱三强④和葛罗夫斯⑤，可谓真正有知人之明，而且对中国社会、美国社会各有深入的认识。

民族感情？友情？

　　1971年，我第一次访问中华人民共和国。在北京，见到阔别了22年的稼先。在那以前，也就是1964年中国原子弹试爆以后，美国报章上就已经再三提到稼先是这项事业的重要领导人。与此同时还有一些谣言说，1948年3月去了中国的寒春⑥曾参与中国原子弹工程。（寒春曾于40年代初在洛斯阿拉姆斯武器试验室做费米⑦的助手，参加了美国原子弹的制造，那时她是年轻的研究生。）

　　1971年8月，我在北京看到稼先时，避免问他的工作地点，他自己只说"在外地工作"。但我曾问他，寒春是不是参加了中国原子弹工作，像美国谣言所说的那样。他说他觉得没有，但是确切的情况他会再去证实一下，然后告诉我。

　　1971年8月16日，在我离开上海经巴黎回美国的前夕，上海市领导人在上海大厦请我吃饭。席中有人送了一封信给我，是稼先写的，说他已证实了，中国原子武器工程中，除了最早于1959年底以前曾得到苏联的极少"援助"以外，没有任何外国人参加。

---

① 〔"四人帮"〕即江青、张春桥、姚文元、王洪文反革命集团。

② 〔工宣队〕"文革"中"工人阶级毛泽东思想宣传队"的简称。

③ 〔军宣队〕"文革"中"解放军毛泽东思想宣传队"的简称。

④ 〔钱三强（1913—1992）〕浙江吴兴（今湖州）人，物理学家。1999年被追授"两弹一星"功勋奖章。

⑤ 〔葛罗夫斯（1896—1970）〕美国陆军中将。第二次世界大战期间，领导美国原子弹的研制工作。

⑥ 〔寒春（1921—2010）〕本名琼·辛顿，美国女物理学家。1948年来华定居，长年投身于中国农业机械化建设。

⑦ 〔费米（1901—1954）〕美籍意大利物理学家。获1938年诺贝尔物理学奖。1942年领导建成世界上第一座原子能反应堆。

这封短短的信给了我极大的感情震荡。一时热泪满眶，不得不起身去洗手间整容。事后我追想为什么会有那样大的感情震荡：是为了民族而自豪，还是为了稼先而感到骄傲？——我始终想不清楚。

"我不能走"

青海、新疆，神秘的古罗布泊，马革裹尸①的战场，不知道稼先有没有想起过我们在昆明时一起背诵的《吊古战场文》②：

浩浩乎！平沙③无垠，敻④不见人。河水萦带⑤，群山纠纷⑥。黯兮惨悴，风悲日曛⑦。蓬⑧断草枯，凛若霜晨。鸟飞不下，兽铤⑨亡群⑩。亭长告余曰："此古战场也！常覆三军。往往鬼哭，天阴则闻！"

也不知道稼先在蓬断草枯的沙漠中埋葬同事、埋葬下属的时候是什么心情？

"粗估"参数的时候，要有物理直觉；昼夜不断地筹划计算时，要有数学见地；决定方案时，要有勇进的胆识和稳健的判断。可是理论是否准确永远是一个问题。不知稼先在关键性的方案上签字的时候，手有没有颤抖？

戈壁滩上常常风沙呼啸，气温往往在零下三十多摄氏度。核武器试验时大大小小突发的问题必层出不穷，稼先虽有"福将"之称，意外总是不能完全避免的。1982年，他做了核武器研究院院长以后，一次井下突然有一个信号测不到了，大家十分焦虑，人们劝他回去，他只说了一句话："我不能走。"

假如有一天哪位导演要摄制《邓稼先传》，我要向他建议采用"五四"时代的一首歌作为背景音乐，那是我儿时从父亲口中学到的：

中国男儿　中国男儿

要将只手撑天空

长江大河　亚洲之东　峨峨昆仑

古今多少奇丈夫

---

① 〔马革裹尸〕用马皮把尸体包裹起来，指将士战死于战场。
② 〔《吊古战场文》〕唐代李华作。文中描述古战场荒凉凄惨的景象，揭示战争的残酷以及给人民造成的苦难。
③ 〔平沙〕平旷的沙地。这里指旷野。
④ 〔敻（xiòng）〕辽远。
⑤ 〔萦（yíng）带〕环绕。
⑥ 〔纠纷〕指群山交错在一起。
⑦ 〔曛（xūn）〕昏暗。
⑧ 〔蓬〕即飞蓬。多年生草本植物，枯后根断，遇风飞旋。
⑨ 〔铤（tǐng）〕疾走。
⑩ 〔亡群〕失群。

碎首黄尘　燕然勒功[①]　*至今热血犹殷红*[②]

我父亲诞生于1896年，那是中华民族任人宰割的时代。他一生都喜欢这首歌曲。

永恒的骄傲

稼先逝世以后，在我写给他夫人许鹿希的电报与书信中有下面几段话：

——稼先为人忠诚纯正，是我最敬爱的挚友。他的无私的精神与巨大的贡献是你的也是我的永恒的骄傲。

——稼先去世的消息使我想起了他和我半个世纪的友情，我知道我将永远珍惜这些记忆。希望你在此沉痛的日子里多从长远的历史角度去看稼先和你的一生，只有真正永恒的才是有价值的。

——邓稼先的一生是有方向、有意识地前进的。没有彷徨，没有矛盾。

——是的，如果稼先再次选择他的人生的话，他仍会走他已走过的道路。这是他的性格与品质。能这样估价自己一生的人不多，我们应为稼先庆幸！

思考探究

一　通读全文，把握文意，回答下列问题。

　　1. 初读课文时，哪些句段最让你感动？反复细读后，再想想这些内容是否最能体现全文所要表达的思想情感。

　　2. 找出文中表现奥本海默与邓稼先两人不同个性、品质的词语及细节，思考作者为什么要进行对比，通过对比得出了怎样的结论。

二　有感情地朗读课文第五部分，想一想：这部分开头引用《吊古战场文》，有什么作用？结尾处又引用儿时学到的"'五四'时代的一首歌"，表达了怎样的情感？

三　课文最后一段写道："如果稼先再次选择他的人生的话，他仍会走他已走过的道路。这是他的性格与品质。"结合课文，说说你对这段话的理解。

---

① 〔燕（yān）然勒功〕典出《后汉书·窦融列传》。东汉大将窦宪追击北匈奴，出塞三千余里，至燕然山刻石记功。燕然，山名，即今蒙古国的杭爱山。勒功，刻石记功。

② 〔殷（yān）红〕带黑的红色。

四　本文分段较多，有时一两句就是一段，简洁精练，铿锵有力。试找一些例子，反复诵读，体会这些语段的表现力。

五　小组合作，搜集并整理我国"两弹一星"科学家的资料。任选其中一位科学家，由小组推选一名代表向全班同学介绍。

读读写写

元	勋		奠	基		选	聘		谣	言		背	诵		昼	夜
昆	仑		挚	友		可	歌	可	泣			鲜	为	人	知	
至	死	不	懈		鞠	躬	尽	瘁			当	之	无	愧		
家	喻	户	晓		锋	芒	毕	露			妇	孺	皆	知		

副　词

　　花里带着甜味儿；闭了眼，树上仿佛已经满是桃儿、杏儿、梨儿。（朱自清《春》）

　　这句话给你怎样的感受呢？你是不是好像闻到了沁人心脾的花香，看到了累累的果实？这种美好的想象在很大程度上要归功于加点的三个副词的使用。

　　副词一般用在动词或形容词前边，起修饰、限制作用，表示程度、范围、时间、频率或语气等。常用的副词有：很、更、最、都、只、才、就、没、不、非常、已经、曾经、刚刚、立刻、马上、忽然、终于、大概、简直、难道等。

　　读一读下边《邓稼先》中的句子，看看其中的副词分别起怎样的作用。

　　（1）在20世纪人类历史上，这可能是最重要的、影响最深远的巨大转变。

　　（2）他只说了一句话："我不能走。"

2　说和做①

——记闻一多先生言行片段

臧克家

臧克家

预习

◎　闻一多既是充满爱国热情的诗人、学者，又是伟大的民主战士，毛泽东同志评价他"拍案而起，横眉怒对国民党的手枪，宁可倒下去，不愿屈服"。读课文，了解闻一多的事迹。

◎　本文的作者也是一位诗人，他的语言精致凝练，富有诗意。阅读时，注意体会这个特点。

"人家说了再做，我是做了再说。"

"人家说了也不一定做，我是做了也不一定说。"

作为学者和诗人的闻一多先生，在30年代国立青岛大学的两年时间，我对他是有着深刻印象的。那时候，他已经诗兴不作而研究志趣正浓。他正向古代典籍钻探，有如向地壳寻求宝藏。仰之弥高②，越高，攀得越起劲；钻之弥坚，越坚，钻得越锲而不舍③。他想吃尽、消化尽我们中华民族几千年来的文化史，炯炯目光，一直远射到有史以前。他要给我们衰微的民族开一剂救济的文化药方。1930年到1932年，"望闻问切④"也还只是在"望"的初级阶

---

① 选自1980年2月12日《人民日报》。有改动。闻一多（1899—1946），湖北浠（xī）水人，诗人、学者、民主战士。代表作有诗集《红烛》《死水》，学术著作《神话与诗》《唐诗杂论》等。臧克家（1905—2004），山东诸城人，诗人。代表作有诗集《烙印》等。

② 〔仰之弥（mí）高〕和后面的"钻之弥坚"都语出《论语·子罕》，是颜回赞颂老师孔子的话。弥，更加。

③ 〔锲（qiè）而不舍〕不停地雕刻，比喻有恒心，有毅力。锲，刻。

④ 〔望闻问切〕中医诊病的四种方法，即望诊、闻诊、问诊、切诊。望诊是第一步，即观察病人气色。

闻一多

段。他从唐诗下手，目不窥园，足不下楼，兀兀穷年①，沥②尽心血。杜甫晚年，疏懒得"一月不梳头"。闻先生也总是头发凌乱，他是无暇及此。闻先生的书桌，零乱不堪，众物腾怨，闻先生心不在焉，抱歉地道一声："秩序不在我的范围以内。"饭，几乎忘记了吃，他贪的是精神食粮；夜间睡得很少，为了研究，他惜寸阴、分阴。深宵灯火是他的伴侣，因它大开光明之路，"漂白了四壁③"。

不动不响，无声无闻。一个又一个大的四方竹纸本子，写满了密密麻麻的小楷，如群蚁排衙④。几年辛苦，凝结而成《唐诗杂论》的硕果。

他并没有先"说"，但他"做"了，做出了卓越的成绩。

"做"了，他自己也没有"说"。他又由唐诗转到楚辞。十年艰辛，一部《校补》⑤赫然而出。别人在赞美，在惊叹，而闻一多先生个人呢，也没有"说"。他又向"古典新义⑥"迈进了。他潜心贯注，心会神凝，成了"何妨一下楼⑦"的主人。

做了再说，做了不说，这仅是闻一多先生的一个方面，——作为学者的方面。

闻一多先生还有另外一个方面，——作为革命家的方面。

这个方面，情况就迥乎不同⑧，而且一反既往了。

---

① 〔兀（wù）兀穷年〕用心劳苦地一年到头这样做。兀兀，用心劳苦的样子。穷年，终年、一年到头。

② 〔沥（lì）〕滴。

③ 〔漂白了四壁〕语出闻一多诗《静夜》："这灯光漂白了的四壁。"

④ 〔群蚁排衙（yá）〕这里指整齐地排列着。衙，衙门。排衙，旧时主官升座，僚属依次参拜，分立两旁，称为"排衙"。

⑤ 〔《校（jiào）补》〕指闻一多著的《楚辞校补》。

⑥ 〔古典新义〕指闻一多对《周易》《诗经》《庄子》《楚辞》等的研究。后汇集成为《古典新义》一书。

⑦ 〔何妨一下楼〕闻一多在西南联大工作的早期很少下楼，人们称他"何妨一下楼主人"。

⑧ 〔迥（jiǒng）乎不同〕很不一样。迥，差得远。

作为争取民主的战士，青年运动的领导人，闻一多先生"说"了。起先，小声说，只有昆明的青年听得到；后来，声音越来越大，他向全国人民呼喊，叫人民起来，反对独裁①，争取民主！

他在给我的信上说："此身别无长处，既然有一颗心，有一张嘴，讲话定要讲个痛快！"

他"说"了，跟着的是"做"。这不再是"做了再说"或"做了也不一定说"了。现在，他"说"了就"做"。言论与行动完全一致，这是人格的写照，而且是以生命作为代价的。

1944年10月12日，他给了我一封信，最后一行说："另函寄上油印物二张，代表我最近的工作之一，请传观。"

这是为争取民主，反对独裁，他起稿的一张政治传单！

在李公朴②同志被害之后，警报迭起③，形势紧张，明知凶多吉少，而闻先生大无畏地在群众大会上，大骂特务，慷慨淋漓，并指着这群败类说："你们站出来！你们站出来！"

他"说"了。说得真痛快，动人心，鼓壮志，气冲斗牛④，声震天地！

他"说"了："我们要准备像李先生一样，前脚跨出大门，后脚就不准备再跨进大门。"

他"做"了，在情况紧急的生死关头，他走到游行示威队伍的前头，昂首挺胸，长须飘飘。他终于以宝贵的生命，实证了他的"言"和"行"。

闻一多先生，是卓越的学者，热情澎湃的优秀诗人，大勇的革命烈士。

他，是口的巨人。他，是行的高标。

? 思考探究

一　闻一多作为学者时的"说"和"做"，与作为民主战士时的"说"和"做"有哪些不同？彼此有无关联？试根据课文内容做简要分析。

---

① 〔独裁〕指当时蒋介石的专制统治。
② 〔李公朴（1902—1946）〕江苏武进（今常州）人，生于山阳（今属江苏淮安），爱国民主人士。因积极参加爱国民主运动，1946年7月11日在昆明被国民党特务暗杀。

③ 〔警报迭起〕这里指国民党当局蓄意杀害闻一多的信号多次出现。迭，屡次、接连。
④ 〔气冲斗（dǒu）牛〕形容气势之盛可以直冲云霄。斗、牛，星宿名，借指天空。

二 本文在叙述中注意通过细节描写来展现闻一多的人物形象，结合文中一两个例子，说说这种写法的好处。

三 下列语句读起来像诗，能引发丰富的感受与思考。试揣摩并体会其表达效果。

1. 仰之弥高，越高，攀得越起劲；钻之弥坚，越坚，钻得越锲而不舍。
2. 他要给我们衰微的民族开一剂救济的文化药方。
3. 深宵灯火是他的伴侣，因它大开光明之路，"漂白了四壁"。
4. 他潜心贯注，心会神凝，成了"何妨一下楼"的主人。

积累拓展

四 查阅相关资料，为本文再补充一两件体现闻一多"说"和"做"特点的事例。
五 课外阅读闻一多的《太阳吟》《死水》《静夜》等诗作，欣赏其艺术特色，感受其中的精神追求。

读读写写

梳头	抱歉	秩序	深宵	伴侣	小楷
硕果	卓越	迭起	澎湃	大无畏	
锲而不舍	目不窥园	沥尽心血			
心不在焉	慷慨淋漓	气冲斗牛			

3 回忆鲁迅先生[1]（节选）

萧 红

鲁迅先生的笑声是明朗的，是从心里的欢喜。若有人说了什么可笑的话，鲁迅先生笑得连烟卷都拿不住了，常常是笑得咳嗽起来。

> 开头直接描写，别具一格。

鲁迅先生走路很轻捷，尤其使人记得清楚的，是他刚抓起帽子来往头上一扣，同时左腿就伸出去了，仿佛不顾一切地走去。

在鲁迅先生家里做客人，刚开始是从法租界来到虹口，搭电车也要差不多一个钟头的工夫，所以那时候来的次数比较少。还记得有一次谈到半夜了，一过十二点电车就没有的，但那天不知讲了些什么，讲到一个段落就看看旁边小长桌上的圆钟，十一点半了，十一点四十五分了，电车没有了。

"反正已十二点，电车已没有，那么再坐一会儿。"许先生[2]如此劝着。

鲁迅先生好像听了所讲的什么起了幻想，安顿[3]地举着象牙烟嘴在沉思着。

> "举着象牙烟嘴"沉思，多像一幅剪影。

一点钟以后，送我（还有别的朋友）出来的是许先生，外边下着小雨，弄堂里灯光全然灭掉

---

① 选自《萧红全集》第二卷（黑龙江大学出版社2011年版）。有改动。萧红（1911—1942），原名张廼（nǎi）莹，黑龙江呼兰（今属哈尔滨）人，作家。代表作有小说《生死场》《呼兰河传》等。

② 〔许先生〕指许广平（1898—1968），广东番禺（今广州）人，鲁迅夫人。

③ 〔安顿〕安稳。

了，鲁迅先生嘱咐许先生一定让坐小汽车回去，并且一定嘱咐许先生付钱。

以后也住到北四川路来，就每夜饭后必到大陆新村来了，刮风的天，下雨的天，几乎没有间断的时候。

鲁迅先生很喜欢北方饭。还喜欢吃油炸的东西，喜欢吃硬的东西，就是后来生病的时候，也不大吃牛奶。鸡汤端到旁边用调羹舀了一二下就算了事。

有一天约好我去包饺子吃，那还是住在法租界，所以带了外国酸菜和用绞肉机绞成的牛肉，就和许先生站在客厅后边的方桌边包起来。海婴公子围着闹得起劲，一会儿把按成圆饼的面拿去了，他说做了一只船来，送在我们的眼前，我们不看它，转身他又做了一只小鸡。许先生和我都不去看它，对他竭力避免加以赞美，若一赞美起来，怕他更做得起劲。

"喜欢吃硬的东西"，有人说这里暗示鲁迅先生刚硬的性格。你同意这种看法吗？

客厅后没到黄昏就先黑了，背上感到些微的寒凉，知道衣裳不够了，但为着忙，没有加衣裳去。等把饺子包完了看看那数目并不多，这才知道许先生我们谈话谈得太多，误了工作。许先生怎样离开家的，怎样到天津读书的，在女师大读书时怎样做了家庭教师，她去考家庭教师的那一段描写，非常有趣，只取一名，可是考了好几十名，她之能够当选算是难的了。指望对于学费有点补足，冬天来了，北平又冷，那家离学校又远，每月除了车子钱之外，若伤风感冒还得自己拿出买阿司匹林[①]的钱来，每月薪金十元要从西城跑到东城……

写海婴，写许先生，跟写鲁迅先生有什么关系？

饺子煮好，一上楼梯，就听到楼上鲁迅先生

---

① 〔阿司匹林〕一种解热镇痛药。

明朗的笑声冲下楼梯来，原来有几个朋友在楼上也正谈得热闹。那一天吃得是很好的。

以后我们又做过韭菜合子，又做过荷叶饼，我一提议，鲁迅先生必然赞成，而我做得又不好，可是鲁迅先生还是在饭桌上举着筷子问许先生："我再吃几个吗？"

因为鲁迅先生的胃不大好，每饭后必吃"脾自美"胃药丸一二粒。

有一天下午鲁迅先生正在校对着瞿秋白的《海上述林》①，我一走进卧室去，他从那圆转椅上转过来了，向着我，还微微站起了一点。

"好久不见，好久不见。"一边说着一边向我点头。

刚刚我不是来过了吗？怎么会好久不见？就是上午我来的那次周先生忘记了，可是我也每天来呀……怎么都忘记了吗？

周先生转身坐在躺椅上才自己笑起来，他是在开着玩笑。

梅雨季，很少有晴天。一天的上午刚一放晴，我高兴极了，就到鲁迅先生家去了，跑上楼还喘着，鲁迅先生说："来啦！"我说："来啦！"

我喘着连茶也喝不下。

鲁迅先生就问我：

"有什么事吗？"

我说："天晴啦，太阳出来啦。"

许先生和鲁迅先生都笑着，一种对于冲破忧郁心境的展然的会心的笑。

又听到"明朗"的笑声。

开玩笑时的鲁迅先生，是不是也挺有意思？

"我"的回答是否有所暗示？说说你的理解。

---

① 〔《海上述林》〕无产阶级革命家、中国共产党早期领导人瞿秋白（1899—1935）的译文集。在瞿秋白被国民党杀害后，由鲁迅搜集、编辑，分上下两卷出版。

青年人写信，写得太草率，鲁迅先生是深恶痛绝之的。

"字不一定要写得好，但必须得使人一看了就认识，青年人现在都太忙了……他自己赶快胡乱写完了事，别人看了三遍五遍看不明白，这费了多少工夫，他不管。反正这费的工夫不是他的。这存心①是不太好的。"

但他还是展读着每封由不同角落里投来的青年的信，眼睛不济时，便戴起眼镜来看，常常看到夜里很深的时光。

鲁迅先生的原稿，在拉都路一家炸油条的那里用着包油条，我得到了一张，是译《死魂灵》②的原稿，写信告诉了鲁迅先生，鲁迅先生不以为稀奇。许先生倒很生气。

鲁迅先生出书的校样，都用来揩③桌子，或做什么的。请客人在家里吃饭，吃到半道，鲁迅先生回身去拿来校样给大家分着，客人接到手里一看，这怎么可以？鲁迅先生说：

"擦一擦，拿着鸡吃，手是腻的。"

到洗澡间去，那边也摆着校样纸。

许先生从早晨忙到晚上，在楼下陪客人，一边还手里打着毛线。不然就是一边谈着话，一边站起来用手摘掉花盆里花上已干枯了的叶子。许先生每送一个客人，都要送到楼下的门口，替客人把门开开，客人走出去而后轻轻地关了门再上楼来。

来了客人还要到街上去买鱼或鸡，买回来还要到厨房里去工作。

一边对潦草的书信"深恶痛绝"，一边仍展读每封来信，这反映鲁迅先生对待青年怎样的态度？

①〔存心〕心里怀有的念头。
②〔《死魂灵》〕俄国作家果戈理（1809—1852）的长篇小说。
③〔揩（kāi）〕擦，抹。

鲁迅先生临时要寄一封信，就得许先生换起皮鞋子来到邮局或者大陆新村旁边的信筒那里去。落着雨的天，许先生就打起伞来。

许先生是忙的，许先生的笑是愉快的，但是头发有些是白了的。

夜里去看电影，施高塔路的汽车房只有一辆车，鲁迅先生一定不坐，一定让我们坐。许先生，周建人①夫人……海婴，周建人先生的三位女公子。我们上车了。

这里的省略号有什么作用？

鲁迅先生和周建人先生，还有别的一二位朋友在后边。

看完了电影出来，又只叫到一部汽车，鲁迅先生又一定不肯坐，让周建人先生的全家坐着先走了。

鲁迅先生旁边走着海婴，过了苏州河的大桥去等电车去了。等了二三十分钟电车还没有来，鲁迅先生依着沿苏州河的铁栏杆坐在桥边的石围上了，并且拿出香烟来，装上烟嘴，悠然地吸着烟。

海婴不安地来回乱跑，鲁迅先生还招呼他和自己并排地坐下。

鲁迅先生坐在那儿，和一个乡下的安静老人一样。

"和一个乡下的安静老人一样"，给你怎样的感觉？

鲁迅先生的休息，不听留声机，不出去散步，也不倒在床上睡觉，鲁迅先生自己说：

"坐在椅子上翻一翻书就是休息了。"

鲁迅先生从下午两三点钟起就陪客人，陪到五点钟，陪到六点钟，客人若在家吃饭，吃过饭

---

① 〔周建人（1888—1984）〕字松寿，浙江绍兴人，鲁迅胞弟。

如果把"陪到八点钟，十点钟"这句删掉，效果有何不同？

着重写鲁迅先生"坐着"，给人一种像雕塑的感觉。

又必要在一起喝茶，或者刚刚喝完茶走了，或者还没走就又来了客人，于是又陪下去，陪到八点钟，十点钟，常常陪到十二点钟。从下午两三点钟起，陪到夜里十二点，这么长的时间，鲁迅先生都是坐在藤躺椅上，不断地吸着烟。

客人一走，已经是下半夜了，本来已经是睡觉的时候了，可是鲁迅先生正要开始工作。在工作之前，他稍微阖①一阖眼睛，燃起一支烟来，躺在床边上，这一支烟还没有吸完，许先生差不多就在床里边睡着了。（许先生为什么睡得这样快？因为第二天早晨六七点钟就要起来管理家务。）海婴这时也在三楼和保姆一道睡着了。

全楼都寂静下去，窗外也是一点声音没有了，鲁迅先生站起来，坐到书桌边，在那绿色的台灯下开始写文章了。

许先生说鸡鸣的时候，鲁迅先生还是坐着，街上的汽车嘟嘟地叫起来了，鲁迅先生还是坐着。

有时许先生醒了，看着玻璃窗白萨萨的了，灯光也不显得怎样亮了，鲁迅先生的背影不像夜里那样黑大。

鲁迅先生背影是灰黑色的，仍旧坐在那里。

人家都起来了，鲁迅先生才睡下。

海婴从三楼下来了，背着书包，保姆送他到学校去，经过鲁迅先生的门前，保姆总是吩咐他说：

"轻一点走，轻一点走。"

鲁迅先生刚一睡下，太阳就高起来了。太阳照着隔院子的人家，明亮亮的，照着鲁迅先生花园的夹竹桃，明亮亮的。

鲁迅先生的书桌整整齐齐的，写好的文章压在书下边，毛笔在烧瓷的小龟背上站着。

---

① 〔阖（hé）〕闭合。

一双拖鞋停在床下，鲁迅先生在枕头上边睡着了。

从福建菜馆叫的菜，有一碗鱼做的丸子。

海婴一吃就说不新鲜，许先生不信，别的人也都不信。因为那丸子有的新鲜，有的不新鲜，别人吃到嘴里的恰好都是没有改味的。

许先生又给海婴一个，海婴一吃，又是不好的，他又嚷嚷着。别人都不注意，鲁迅先生把海婴碟里的拿来尝尝。果然是不新鲜的。鲁迅先生说："他说不新鲜，一定也有他的道理，不加以查看就抹杀是不对的。"

…………

以后我想起这件事来，私下和许先生谈过，许先生说："周先生的做人，真是我们学不了的。哪怕一点点小事。"

这件事反映了鲁迅先生什么品质？

鲁迅先生包一个纸包也要包到整整齐齐，他常常把要寄出的书，从许先生手里拿过来自己包。许先生本来包得多么好，而鲁迅先生还要亲自动手。

鲁迅先生把书包好了，用细绳捆上，那包方方正正的，连一个角也不准歪一点或扁一点，而后拿着剪刀，把捆书的那绳头都剪得整整齐齐。

就是包这书的纸都不是新的，都是从街上买东西回来留下来的。许先生上街回来把买来的东西一打开随手就把包东西的牛皮纸折起来，随手把小细绳圈了一个圈。若小细绳上有一个疙瘩，也要随手把它解开的。准备着随时用随时方便。

细微之处，也认真细致。

鲁迅先生必得休息的，须藤老医生是这样说的。可是鲁迅先生从此不但没有休息，并且脑子里所想的更多了，要做的事情都像非立刻就做不可，校《海上述林》的校样，印珂勒惠支①的画，翻译《死魂灵》下部；刚好了，这些就都一起开始了，还计算着出三十年集（即《鲁迅全集》）。

鲁迅先生感到自己的身体不好，就更没有时间注意身体，所以要多做，赶快做。当时大家不解其中的意思，都以为鲁迅先生不加以休息不以为然，后来读了鲁迅先生《死》的那篇文章才了然了。

鲁迅先生知道自己的健康不成了，工作的时间没有几年了，死了是不要紧的，只要留给人类更多，鲁迅先生就是这样。

不久书桌上德文字典和日文字典都摆起来了，果戈理的《死魂灵》，又开始翻译了。

课下不妨找来《死》这篇文章读读，体会鲁迅先生此时的想法。

阅读提示

这是一篇别具一格的回忆文章。作者以女性特有的细腻感觉，捕捉鲁迅先生日常生活中的一些琐事，包括日常起居、会见朋友、与家人相处等，以多个片段的形式组合在一起，烘托出一个真实的、富有人情味的、生活化的鲁迅形象，给人留下深刻的印象。据说当年有位友人看了萧红的这篇文章后，不屑地评价说："这也值得写？这有什么好写的？"但就是这样一篇片段之间没有太强的逻辑关系，甚至略显琐碎的文章，却成为描写鲁迅先生的经典作品。你喜欢这样的写法吗？

鲁迅是大家比较熟悉的作家，之前我们也学过他的作品。你印象中，鲁迅是怎样一个人？你是否对他有点儿敬而远之？读了这篇课文，相信你对鲁迅会有新的认识。不妨跟同学交流一下。

---

① 〔珂勒惠支（1867—1945）〕德国女版画家。

咀	嚼		碟		捆		咳	嗽		调	羹		绞	肉
薪	金		校	对	草	率	洗	澡		悠	然		吩	咐
抹	杀		疙	瘩	深	恶	痛	绝		不	以	为	然	

介　词

把书（送去）　　　向我（点头）　　　往那边（走）
沿河边（跑步）　　从昨天（开始）　　比前几天（热）

上面的短语你可能经常在说在用，你能说出它们语言结构上的特点吗？

加点的词都是介词，它们都没有单独使用，而是跟名词或代词结合在一起组成短语，表示对象、方向、地点、时间、比较等。以下是一些常用的介词：

自、从、以、当、为、按照，由于、对于、为了、到，

和、跟、把、比、在、关于，除了、同、对、向、往、朝……

4 孙权劝学^①

《资治通鉴》

预 习

　　◎ 你知道"吴下阿蒙"和"刮目相待"的意思吗？这两个成语就出自本文。参考注释，大致读懂课文，了解文章所讲的故事。

　　◎ 朗读课文，注意读出文中人物说话的语气。

　　初，权谓吕蒙^②曰："卿^③今当涂^④掌事，不可不学！"蒙辞^⑤以军中多务^⑥。权曰："孤^⑦岂欲卿治经^⑧为博士^⑨邪^⑩！但^⑪当涉猎^⑫，见往事^⑬耳。卿言多务，孰若孤？孤常读书，自以为大有所益。"蒙乃始就学。及^⑭鲁肃过^⑮寻阳^⑯，与蒙论议，大惊曰："卿今者^⑰才略^⑱，非复^⑲吴下^⑳阿蒙^㉑！"蒙曰："士别三日，即更^㉒刮目相待^㉓，大兄^㉔何见事^㉕之晚乎！"肃遂拜蒙母，结友而别。

① 节选自《资治通鉴》卷六十六（中华书局1956年版）。题目是编者加的。孙权（182—252），字仲谋，吴郡富春（今浙江富阳）人，三国时吴国的创建者。《资治通鉴》，北宋司马光主持编纂的一部编年体通史，记载了从战国到五代共1362年间的史事。司马光（1019—1086），字君实，陕州夏县（今属山西）人，北宋政治家、史学家。

② 〔吕蒙（178—219）〕字子明，汝南富陂（今安徽阜南东南）人，东汉末孙权手下的将领。

③ 〔卿（qīng）〕古代君对臣的爱称。朋友、夫妇间也以"卿"为爱称。

④ 〔当涂〕当道，当权。

⑤ 〔辞〕推托。

⑥ 〔务〕事务。

⑦ 〔孤〕古时王侯的自称。

⑧ 〔治经〕研究儒家经典。经，指《易》《书》《诗》《礼》《春秋》等书。

⑨ 〔博士〕专掌经学传授的学官。

⑩ 〔邪（yé）〕语气词，后写作"耶"。

⑪ 〔但〕只，只是。

⑫ 〔涉猎〕粗略地阅读。

⑬ 〔见往事〕了解历史。见，了解。往事，指历史。

⑭ 〔及〕到，等到。

⑮ 〔过〕经过。

⑯ 〔寻阳〕古县名，治所在今湖北黄梅西南。

⑰ 〔今者〕如今，现在。

⑱ 〔才略〕才干和谋略。

⑲ 〔非复〕不再是。

⑳ 〔吴下〕指吴县，今江苏苏州。

㉑ 〔阿蒙〕吕蒙的小名。阿，名词词头。

㉒ 〔更〕重新。

㉓ 〔刮目相待〕拭目相看，用新的眼光看待。刮，擦拭。

㉔ 〔大兄〕长兄，这里是对朋友辈的敬称。

㉕ 〔见事〕知晓事情。

一　朗读课文，理解大意。说说孙权为什么要劝吕蒙学习，又是怎样说服吕蒙的。

二　课文是怎样表现吕蒙学识进步的？吕蒙的变化对你有什么启示？

三　诵读下列句子，体会加点词所表示的语气。

　　1. 孤岂欲卿治经为博士邪！

　　2. 但当涉猎，见往事耳。

　　3. 大兄何见事之晚乎！

积累拓展

四　文言文中的称谓语非常丰富，有自称，有他称（除一般他称，又有爱称、敬称等）。说说下列句中加点的称谓语分别属于哪种情况。课外再搜集一些。

　　1. 卿今当涂掌事，不可不学！

　　2. 孤常读书，自以为大有所益。

　　3. 卿今者才略，非复吴下阿蒙！

　　4. 大兄何见事之晚乎！

五　参考下面的提示，把课文翻译为现代汉语。

　　翻译提示：

　　留——国号、年号、地名、书名、人名等可以保留，直接使用；

　　替——用现代汉语双音词替换古代汉语单音词；

　　调——调整语序，使其符合现代汉语的表达习惯；

　　补——补充省略部分，使意思完整；

　　删——删去无实在意义的词，不译。

写作

写出人物的精神

我们知道写人有一些常见的方法，如外貌描写、语言描写、动作描写、神态描写等。通过这些描写，可以穷形尽相，尽显人物之形；还可以以形写神，使人物之神跃然纸上。比如《说和做——记闻一多先生言行片段》一文，写闻一多"昂首挺胸，长须飘飘"，刻画出闻先生参加游行时的外貌特点，令人感受到他的大无畏精神。可以说，写人物的外在特点，也能写出内在的精神。

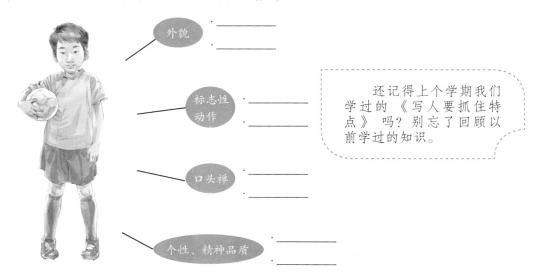

还记得上个学期我们学过的《写人要抓住特点》吗？别忘了回顾以前学过的知识。

那么，要写出人物的精神，有哪些需要注意的呢？

首先，可以抓住典型细节来表现人物的精神风貌。一个人的内在品质和精神追求往往在细节处得以彰显。如《说和做——记闻一多先生言行片段》中，闻一多先生钻研学问时专注认真、锲而不舍的精神就是通过他头发凌乱、书桌上"众物腾怨"等细节来表现的。再如《回忆鲁迅先生（节选）》一文，通过对鲁迅日常生活中一些琐事的细腻描述，展现了一个伟大人物的平凡生活，让人看到了更富人情味、更加真实的鲁迅先生。

其次，可以借助一些写作手法来加以突出、强调。如对比、衬托、正面描写与侧面描写相结合等，都可以起到揭示和突显人物精神的作用。如《邓稼先》一文，将邓稼先与美国"原子弹之父"奥本海默进行对比，鲜明地表现了邓稼先忠厚朴实的气质和毫无私心、甘于奉献的品格。

另外，还可以借助一些抒情、议论的句子，对人物的精神品质进行点睛式的概括。如《邓稼先》中，"邓稼先是中国几千年传统文化所孕育出来的有最高奉献精神的儿子"，"稼先为人忠诚纯正，是我最敬爱的挚友。他的无私的精神与巨大的贡献是你的也是我的永恒的骄傲"，就深刻而准确地点出了邓稼先的精神品格。又如《说和做——记闻一多先生言行片段》中，"闻一多先生，是卓越的学者，热情澎湃的优秀诗人，大勇的革命烈士"，"他，是口的巨人。他，是行的高标"，对闻一多先生的一生做了高度的评价，也是对全文的总结。这些精彩的抒情和议论，提炼了人物的精神品质，也对文章主旨起到了升华的作用。不妨细细揣摩，写作时尝试模仿。

写作实践

一　也许闭上眼睛你都能想出好朋友的样貌，写出他的外在特征也不难，但你还能写出他的性格与气质吗？以《我的好朋友》为题，写一个200字左右的片段。

　　提示：

　　1. 注意，这次重点是要写出人物的性格和精神气质。当然，也需要对他进行外貌、动作、语言等的描写，这些方法运用得好，可以有效突显人物的精神气质。

　　2. 可以借助正面描写、侧面描写等手法，注意在细节中展现他的性格品质。

二　生活中，我们难免会与人发生争论。有时候，只是两个人参与；有时候，则是数人参加。调动你的生活经验，以《争论》为题，写一篇作文，描摹争论中人们的不同表现。不少于500字。

　　提示：

　　1. 设置场景和争论点，回忆争论时人们的动作、语言、神态，抓住人们的不同精神气质和个性展开描摹。

　　2. 可以通过对比、衬托等手法来刻画人物，写出他们在争吵中的不同表现。

　　3. 不妨深入人物内心，想象他的心理，尝试进行心理描写。

三　生活中我们会遇到各种各样的人，有的让你尊敬，有的让你佩服，有的让你感动，有的让你叹息……以《这样的人让我_____》为题，写一篇作文。不少于500字。

　　提示：

　　1. 题目横线处应该填上一个能体现自己情感态度的词语。

　　2. "这样的人"可以是你熟悉的人，比如你的同学、邻居，也可以是陌生的人，比如路人、新闻报道中的人；可以是某个具体的人，也可以是某一类人。

3.“这样的人”应该是具有某种精神品质，或代表某种风气的人。要着眼于个性、品质去描写，写出你的情感倾向。

忘记是谁说的了，总之是，要极省俭地画出一个人的特点，最好是画他的眼睛。我以为这话是极对的，倘若画了全副的头发，即使细得逼真，也毫无意思。

——鲁迅

描写人物，假若只就人的共通之点来写，则只能保存人的类型，不能表现出某一个人。要表现出某一个人，须抓住他给予我们的特殊的印象。

——叶圣陶

第二单元

家国情怀，是人类共有的一种朴素情感，它意味着热爱祖国的大好河山，热爱祖国的语言文化，热爱家乡的土地人民……它是国家和民族的精神凝聚力。这个单元所选的都是表现家国情怀的作品，能够激发我们的爱国主义情感。

本单元继续学习精读。注重涵泳品味，尽量把自己"浸泡"在作品的氛围之中，调动起体验与想象，把握课文的抒情方式，体会作品的情境，感受作者的情怀。还要学习做批注，记下自己的点滴体会。

5 黄河颂①

光未然

光未然

预习

◎ 1939年春，光未然创作了组诗《黄河大合唱》。经冼星海谱曲后，这部音乐作品响彻中华大地，激发了中国军民的抗日热情。如有条件，欣赏《黄河大合唱》第二乐章《黄河颂》。

◎ 在家国存亡的关头，在抗日的烽火燃遍祖国大地的时候，诗人站在高山之巅，向黄河母亲唱出了豪迈的颂歌。想象这一情景，有感情地朗读这首诗，要读出气势。

点出黄河是中华民族精神的象征。

（朗诵词）
啊，朋友！
黄河以它英雄的气魄，
出现在亚洲的原野；
它表现出我们民族的精神：
伟大而又坚强！
这里，
我们向着黄河，
唱出我们的赞歌。

---

① 选自组诗《黄河大合唱》（解放军文艺出版社2000年版）。光未然（1913—2002），本名张光年，湖北光化（今老河口西北）人，诗人、文学评论家。

（歌词）

我站在高山之巅，
望黄河滚滚，
奔向东南。
惊涛澎湃，
掀起万丈狂澜；
浊流宛转，
结成九曲连环；
从昆仑山下
奔向黄海之边；
把中原大地
劈成南北两面。
啊！黄河！
你是中华民族的摇篮！
五千年的古国文化，
从你这儿发源；
多少英雄的故事，
在你的身边扮演！
啊！黄河！
你是伟大坚强，
像一个巨人
出现在亚洲平原之上，
用你那英雄的体魄
筑成我们民族的屏障。
啊！黄河！
你一泻万丈，
浩浩荡荡，
向南北两岸
伸出千万条铁的臂膀。
我们民族的伟大精神，
将要在你的哺育下

"望"引出对黄河形象的描写，有画面感。

转入"颂"。直抒胸臆。

"啊！黄河！"反复出现，营造出一种回环往复的韵律美。

发扬滋长！

我们祖国的英雄儿女，

将要学习你的榜样，

结尾铿锵有力，　　　　像你一样的伟大坚强！

庄严豪迈！　　　　　　像你一样的伟大坚强！

❓ 思考探究

一　诗人从哪些方面赞美了黄河的英雄气魄？静下心来想想，体会一下中国人民在抗战时期生发出来的磅礴的爱国激情。

二　诗歌既可以直接抒情，也可以间接抒情。你认为这首诗主要采取的是哪种抒情方式？你还能从自己读过的诗歌中再举出一两例吗？

⊙ 积累拓展

三　做批注是非常好的读书方法。阅读时把自己的感悟、理解、评价或疑难问题，用简练的语言和相应的符号标注在文章的空白处，这就是做批注。

1. 学习课文中的"批注示例"，想一想示例是从哪些角度进行批注的。

2. 请在课文中选出最能体现黄河特点的两三处词句，仔细品味并加上批注。

四　举办以小组为单位的诗歌朗诵比赛。可采用合唱式朗诵的形式，设计好领诵、男女生分声部朗诵、合诵等，认真练习，在班里展示。

五　课外阅读《黄河大合唱》第三部分《黄河之水天上来》。

☰ 读读写写

巅	劈	气魄	狂澜	浊流	宛转
屏障	哺育	榜样	浩浩荡荡		

6 最后一课①

都 德

都 德

预习

◎ 1870年，普法战争爆发。法国战败，被迫割让阿尔萨斯和洛林地区。德意志政府下令这两个地方的学校只准教德语，不准再教法语。搜集相关资料，了解小说中的这一故事背景。

◎ 小说原来还有一个副标题是"一个阿尔萨斯小孩子的自述"。默读课文，想一想：这个"小孩子"是谁？他讲述了一件什么事？

那天早晨上学，我去得很晚，心里很怕韩麦尔先生骂我，况且他说过要问我们分词②，可是我连一个字也说不上来。我想就别上学了，到野外去玩玩吧。

天气那么暖和，那么晴朗！

画眉③在树林边婉转地唱歌；锯木厂后边草地上，普鲁士④兵正在操练。这些景象，比分词用法有趣多了；可是我还能管住自己，急忙向学校跑去。

我走过镇公所的时候，看见许多人站在布告牌前边。最近两年来，我们的一切坏消息都是从那里传出来的：败仗啦，征发⑤啦，司令部的各种命令啦——我也不停步，只在心里思量："又出了什么事啦？"

铁匠华希特带着他的徒弟也挤在那里看布告，他看见我在广场上跑过，就

---

① 这篇课文是根据几种版本的译文改写的。都德（1840—1897），法国小说家。代表作有长篇小说《小东西》、短篇小说集《星期一故事集》等。

② 〔分词〕法文里动词的一种变化形式。

③ 〔画眉〕一种鸟，叫声清脆悦耳。

④ 〔普鲁士〕18世纪至19世纪德意志境内一个军事专制的国家。它在普法战争中击败了法国，最后统一了德意志。

⑤ 〔征发〕政府向人民征调人力或财物。

向我喊："用不着那么快呀，孩子，你反正是来得及赶到学校的！"

我想他在拿我开玩笑，就上气不接下气地赶到韩麦尔先生的小院子里。

平常日子，学校开始上课的时候，总有一阵喧闹，就是在街上也能听到。开课桌啦，关课桌啦，大家怕吵捂着耳朵大声背书啦……还有老师拿着大铁戒尺在桌子上紧敲着："静一点儿，静一点儿……"

我本来打算趁那一阵喧闹偷偷地溜到我的座位上去；可是那一天，一切偏安安静静的，跟星期日的早晨一样。我从开着的窗子望进去，看见同学们都在自己的座位上了；韩麦尔先生呢，踱来踱去，胳膊底下夹着那怕人的铁戒尺。我只好推开门，当着大家的面走进静悄悄的教室。你们可以想象，我那时脸多么红，心多么慌！

可是一点儿也没有什么。韩麦尔先生见了我，很温和地说："快坐好，小弗郎士，我们就要开始上课，不等你了。"

我一纵身跨过板凳就坐下。我的心稍微平静了一点儿，我才注意到，我们的老师今天穿上了他那件挺漂亮的绿色礼服，打着皱边的领结，戴着那顶绣边的小黑丝帽。这套衣帽，他只在督学①来视察或者发奖的日子才穿戴。而且整个教室有一种不平常的严肃的气氛。最使我吃惊的是，后边几排一向空着的板凳上坐着好些镇上的人，他们也跟我们一样肃静。其中有郝叟②老头儿，戴着他那顶三角帽，有从前的镇长，从前的邮递员，还有些旁的人。个个看来都很忧愁。郝叟还带着一本书边破了的初级读本，他把书翻开，摊在膝头上，书上横放着他那副大眼镜。

我看见这些情形，正在诧异，韩麦尔先生已经坐上椅子，像刚才对我说话那样，又柔和又严肃地对我们说："我的孩子们，这是我最后一次给你们上课了。柏林③已经来了命令，阿尔萨斯和洛林的学校只许教德语了。新老师明天就到。今天是你们最后一堂法语课，我希望你们多多用心学习。"

我听了这几句话，心里万分难过。啊，那些坏家伙，他们贴在镇公所布告牌上的，原来就是这么一回事！

我的最后一堂法语课！

我几乎还不会作文呢！我再也不能学法语了！难道这样就算了吗？我从前没好好学习，旷了课去找鸟窝，到萨尔河上去溜冰……想起这些，我多么懊

---

① 〔督学〕教育行政机关负责视察、监督学校工作的人员。

② 〔郝叟〕法文人名的音译。

③ 〔柏林〕当时德意志帝国的首都。

悔！我这些课本，语法啦，历史啦，刚才我还觉得那么讨厌，带着又那么沉重，现在都好像是我的老朋友，舍不得跟它们分手了。还有韩麦尔先生也一样。他就要离开了，我再也不能看见他了！想起这些，我忘了他给我的惩罚，忘了我挨的戒尺。

可怜的人！

他穿上那套漂亮的礼服，原来是为了纪念这最后一课！现在我明白了，镇上那些老年人为什么来坐在教室里。这好像告诉我，他们也懊悔当初没常到学校里来。他们像是用这种方式来感谢我们老师四十年来忠诚的服务，来表示对就要失去的国土的敬意。

我正想着这些的时候，忽然听见老师叫我的名字。轮到我背书了。天啊，如果我能把那条出名难学的分词用法从头到尾说出来，声音响亮，口齿清楚，又没有一点儿错误，那么任何代价我都愿意拿出来的。可是开头几个字我就弄糊涂了，我只好站在那里摇摇晃晃，心里挺难受，头也不敢抬起来。我听见韩麦尔先生对我说：

"我也不责备你，小弗郎士，你自己一定够难受的了。这就是了。大家天天都这么想：'算了吧，时间有的是，明天再学也不迟。'现在看看我们的结果吧。唉，总要把学习拖到明天，这正是阿尔萨斯人最大的不幸。现在那些家伙就有理由对我们说了：'怎么？你们还自己说是法国人呢，你们连自己的语言都不会说，不会写！……'不过，可怜的小弗郎士，也并不是你一个人的过错，我们大家都有许多地方应该责备自己呢。

"你们的爹妈对你们的学习不够关心。他们为了多赚一点儿钱，宁可叫你们丢下书本到地里，到纱厂里去干活儿。我呢，我难道就没有应该责备自己的地方吗？我不是常常让你们丢下功课替我浇花吗？我去钓鱼的时候，不是干脆就放你们一天假吗？……"

接着，韩麦尔先生从这一件事谈到那一件事，谈到法国语言上来了。他说，法国语言是世界上最美的语言——最明白，最精确；又说，我们必须把它记在心里，永远别忘了它，亡了国当了奴隶的人民，只要牢牢记住他们的语言，就好像拿着一把打开监狱大门的钥匙。说到这里，他就翻开书讲语法。真奇怪，今天听讲，我全都懂。他讲的似乎挺容易，挺容易。我觉得我从来没有这样细心听讲过，他也从来没有这样耐心讲解过。这可怜的人好像恨不得把自己知道的东西在他离开之前全教给我们，一下子塞进我们的脑子里去。

语法课完了，我们又上习字课。那一天，韩麦尔先生发给我们新的字帖，帖上都是美丽的圆体字^①："法兰西""阿尔萨斯""法兰西""阿尔萨斯"。这些字帖挂在我们课桌的铁杆^②上，就好像许多面小国旗在教室里飘扬。个个都那么专心，教室里那么安静！只听见钢笔在纸上沙沙地响。有时候一些金甲虫飞进来，但是谁都不注意，连最小的孩子也不分心，他们正在专心画"杠子"^③，好像那也算是法国字。屋顶上鸽子咕咕咕咕地低声叫着，我心里想："他们该不会强迫这些鸽子也用德国话唱歌吧！"

我每次抬起头来，总看见韩麦尔先生坐在椅子里，一动也不动，瞪着眼看周围的东西，好像要把这小教室里的东西都装在眼睛里带走似的。只要想想：四十年来，他一直在这里，窗外是他的小院子，面前是他的学生；用了多年的课桌和椅子，擦光了，磨损了；院子里的胡桃树长高了；他亲手栽的紫藤，如今也绕着窗口一直爬到屋顶了。可怜的人啊，现在要他跟这一切分手，叫他怎么不伤心呢？何况又听见他的妹妹在楼上走来走去收拾行李！——他们明天就要永远离开这个地方了。

可是他有足够的勇气把今天的功课坚持到底。习字课完了，他又教了一堂历史。接着又教初级班拼他们的 ba，be，bi，bo，bu^④。在教室后排座位上，郝叟老头儿已经戴上眼镜，两手捧着他那本初级读本，跟他们一起拼这些字母。他感情激动，连声音都发抖了。听到他古怪的声音，我们又想笑，又难过。啊！这最后一课，我真永远忘不了！

忽然教堂的钟敲了十二下。祈祷的钟声也响了。窗外又传来普鲁士兵的号声——他们已经收操了。韩麦尔先生站起来，脸色惨白，我觉得他从来没有这么高大。

---

① 〔圆体字〕法文的一种书写体，字母的拐角处呈弧形。

② 〔课桌的铁杆〕这种课桌是斜面的，有点儿像放乐谱的架子，上边有一根横的铁杆，可以挂字帖。

③ 〔画"杠子"〕指初级班学生初学写字。

④ 〔ba，be，bi，bo，bu〕这是法语音节，大致可以按照汉语拼音读作 ba，be，bi，bo，bu。

"我的朋友们啊，"他说，"我——我——"

但是他哽①住了，他说不下去了。

他转身朝着黑板，拿起一支粉笔，使出全身的力量，写了几个大字："法兰西万岁！"

然后他呆在那儿，头靠着墙壁，话也不说，只向我们做了一个手势："放学了，——你们走吧。"

？ 思考探究

一　"最后一课"的情形和平日上课大不相同，根据课文内容填写下表，并说说这些不同表明了什么。

	平日上课	最后一课
气氛		
学生		
老师		

二　上"最后一课"前后，小弗郎士的心情、态度有什么变化？什么原因使他发生了这样的变化？

三　韩麦尔先生是作者着力刻画的一个人物形象，找出你觉得刻画韩麦尔先生比较精彩的语句，并做一些批注。

四　揣摩下列语句，说说你对句子含义的理解。

1. 亡了国当了奴隶的人民，只要牢牢记住他们的语言，就好像拿着一把打开监狱大门的钥匙。

2. 这些字帖挂在我们课桌的铁杆上，就好像许多面小国旗在教室里飘扬。

3. 屋顶上鸽子咕咕咕咕地低声叫着，我心里想："他们该不会强迫这些鸽子也用德国话唱歌吧！"

_____

①〔哽（gěng）〕声气阻塞。

4. 在教室后排座位上，郝叟老头儿已经戴上眼镜，两手捧着他那本初级读本，跟他们一起拼这些字母。他感情激动，连声音都发抖了。听到他古怪的声音，我们又想笑，又难过。

积累拓展

五　试以韩麦尔先生为第一人称，改写课文中从上课到下课部分的内容。写完后与课文对比一下，想一想，课文以一个小男孩的口吻叙述故事有什么好处？

读读写写

| 挮 | | 踱 | | 婉转 | | 喧闹 | | 气氛 | | 诧异 |
| 懊悔 | | 惩罚 | | 奴隶 | | 钥匙 | | 字帖 | | 祈祷 |

连　词

（1）柏林已经来了命令，阿尔萨斯和洛林的学校只许教德语了。（都德《最后一课》）

（2）别人在赞美，在惊叹，而闻一多先生个人呢，也没有"说"。（臧克家《说和做——记闻一多先生言行片段》）

（3）当时，他是美国家喻户晓的人物，因为他曾成功地领导战时美国的原子弹制造工作。（杨振宁《邓稼先》）

这些句子中加点的词，是起连接作用的连词。常见的连词有和、跟、同、而、或、或者、而且、并且、虽然、但是、如果、只有、只要、因为等，用来表示并列、转折、选择、递进、条件、因果等关系。

7　土地的誓言①

端木蕻良

对于广大的关东原野，我心里怀着挚痛②的热爱。我无时无刻不听见她呼唤我的名字，无时无刻不听见她召唤我回去。我有时把手放在胸膛上，知道我的心是跳跃的。我的心还在喷涌着血液吧，因为我常常感到它在泛滥着一种热情。当我躺在土地上的时候，当我仰望天上的星星，手里握着一把泥土的时候，或者当我回想起儿时的往事的时候，我想起那参天碧绿的白桦林，标直③漂亮的白桦树在原野上呻吟；我看见奔流似的马群，听见蒙古狗深夜的嗥鸣④和皮鞭滚落在山涧里的脆响；我想起红布似的高粱，金黄的豆粒，黑色的土地，红玉的脸庞，黑玉的眼睛，斑斓的山雕，奔驰的鹿群，带着松香气味的煤块，带着赤色的足金；我想起幽远的车铃，晴天里马儿戴着串铃在溜直的大道上跑着，狐仙姑⑤深夜的谰语⑥，原野上怪诞的狂风……这时我听到故乡在召唤我，故乡有一种声音在召唤着我。她低低地呼唤着我的名字，声音是那样的急切，使我不得不回去。我总是被这种声音所缠绕，不管我走到哪里，即使我睡得很沉，或者在睡梦中突然惊醒的时候，我都会突然想到是我应该回去的时候了。我必须回去，我从来没

> 这里铺陈了许多富于东北生活气息的形象，有怎样的效果？

---

① 选自《中国新文学大系1937—1949·散文》卷一（上海文艺出版社1990年版）。有改动。端木蕻（hóng）良（1912—1996），原名曹京平，辽宁昌图人，作家。代表作有小说《科尔沁旗草原》等。

② 〔挚（zhì）痛〕诚恳而深切。
③ 〔标直〕笔直。
④ 〔嗥（háo）鸣〕（野兽）大声嚎叫。
⑤ 〔狐仙姑〕东北地区民间传说中的神仙。
⑥ 〔谰（lán）语〕没有根据的话。

为何多次写"这
种声音"？为什么说
"这种声音"来自"亘
古的地层"？

想过离开她。这种声音是不可阻止的，是不能选择
的。这种声音已经和我的心取得了永远的沟通。当
我记起故乡的时候，我便能看见那大地的深层，在
翻滚着一种红熟的浆液，这声音便是从那里来的。
在那亘古①的地层里，有着一股燃烧的洪流，像我
的心喷涌着血液一样。这个我是知道的，我常常把
手放在大地上，我会感到她在跳跃，和我的心的跳
跃是一样的。它们从来没有停息，它们的热血一直
在流，在热情的默契里它们彼此呼唤着，终有一天
它们要汇合在一起。

土地是我的母亲，我的每一寸皮肤，都有着
土粒；我的手掌一接近土地，心就变得平静。我是
土地的族系②，我不能离开她。在故乡的土地上，
我印下无数的脚印。在那田垄里埋葬过我的欢笑，
在那稻棵上我捉过蚱蜢，在那沉重的镐头③上有我
的手印。我吃过我自己种的白菜。故乡的土壤是
香的。在春天，东风吹起的时候，土壤的香气便
在田野里飘起。河流浅浅地流过，柳条像一阵烟

如何理解"在那
田垄里埋葬过我的欢
笑……"这句话？

---

①〔亘（gèn）古〕远古。　　　　　　　　③〔镐（gǎo）头〕刨土用的工具。
②〔族系〕具有某种共同属性的同类。

雨似的窜出来，空气里都有一种欢喜的声音。原野到处有一种鸣叫，天空清亮透明，劳动的声音从这头响到那头。秋天，银线似的蛛丝在牛角上挂着，粮车拉粮回来，麻雀吃厌了，这里那里到处飞。禾稻的香气是强烈的，碾着新谷的场院辘辘地响着，多么美丽，多么丰饶……没有人能够忘记她。我必定为她而战斗到底。土地，原野，我的家乡，你必须被解放！你必须站立！夜夜我听见马蹄奔驰的声音，草原的儿子在黎明的天边呼唤。这时我起来，找寻天空中北方的大熊①，在它金色的光芒之下，是我的家乡。我向那边注视着，注视着，直到天边破晓。我永不能忘记，因为我答应过她，我要回到她的身边，我答应过我一定会回去。为了她，我愿付出一切。我必须看见一个更美丽的故乡出现在我的面前——或者我的坟前，而我将用我的泪水，洗去她一切的污秽②和耻辱。

"九一八"十周年写。

"我"的"誓言"是什么？大声读一读，或许会有更深的感受。

🖉 阅读提示

"九一八"事变之后，大批东北青年流亡到关内。本文抒发了他们对国土沦丧的压抑之感和对故土的深深眷恋之情，具有强烈的爱国色彩。

纷繁的故土景物，强烈的抒情性，是阅读本文时必须关注的。文中许多描写像电影特写镜头一样，叠现出家乡一幅幅动人的画面，你感受到了吗？作者在文中直抒胸臆，大声呼告，甚至不惜用"泛滥"这样的词语来形容自己的感情，你能结合相关语句说说体会吗？课文中"土地"的象征性，也是阅读时不可忽视的。作者用"她"而不用"它"来指代，体会这样做的表达效果。

这篇课文很适合朗读，建议大声地朗读，在朗读中进一步感受那种强烈的爱国情感。

---

① 〔大熊〕指大熊星座。座内的北斗七星常被用来作为指示方向的标志。　② 〔污秽（huì）〕肮脏的东西。

三 读读写写

碾		誓	言	胸	膛	嗥	鸣	山	涧	高	粱
斑	斓	缠	绕	亘	古	默	契	田	垄	埋	葬
镐	头	土	壤	禾	稻	丰	饶	污	秽	耻	辱

排　比

（1）在那田垄里埋葬过我的欢笑，在那稻棵上我捉过蚱蜢，在那沉重的镐头上有我的手印。（端木蕻良《土地的誓言》）

（2）一个人能力有大小，但只要有这点精神，就是一个高尚的人，一个纯粹的人，一个有道德的人，一个脱离了低级趣味的人，一个有益于人民的人。（毛泽东《纪念白求恩》）

读这样的句子，你是不是觉得很通畅，有气势，有节奏，情感很强烈？这就是排比修辞手法带来的表达效果。

排比就是把结构相同或相似、内容密切相关的三个或三个以上的短语或句子排列起来。用排比抒情，可以把感情抒发得淋漓尽致；用排比说理，可以把论点阐述得更严密，更透彻。

一般说来，排比的各项之间是并列关系，但有时也有先后、大小、轻重等区别，这时就要注意它们的排列顺序。例如：

雕刻家的意思，随随便便雕一个石像不如不雕，要雕就得把这位英雄活活地雕出来，让看见石像的人认识这位英雄，明白这位英雄，因而崇拜这位英雄。（叶圣陶《古代英雄的石像》）

句中构成排比的三个短语"认识这位英雄""明白这位英雄""崇拜这位英雄"在逻辑上有先后，顺序不能颠倒。

8 木兰诗①

己背 己背

预习

◎ 木兰从军的故事千百年来广为传颂，多次被改编为戏曲、电影等艺术形式。这个故事的源头，就是北朝民歌《木兰诗》。借助注释，阅读课文，熟悉这首民歌讲述的故事。

◎ 这首民歌既展现木兰的英雄气概，也表现她的女儿情怀。学习时注意从这两方面把握木兰这一人物形象。

　　唧唧②复唧唧，木兰当户织③。不闻机杼声④，唯⑤闻女叹息。

　　问女何所思⑥，问女何所忆⑦。女亦无所思，女亦无所忆。昨夜见军帖⑧，可汗大点兵⑨，军书十二卷⑩，卷卷有爷⑪名。阿爷无大儿，木兰无长兄，愿为市鞍马⑫，从此替爷征。

　　东市买骏马，西市买鞍鞯⑬，南市买辔头⑭，北市买长鞭。旦⑮辞爷娘去，暮宿黄河边，不闻爷娘唤女声，但闻黄河流水鸣溅溅⑯。旦辞黄河去，暮至黑山⑰头，不闻爷娘唤女声，但闻燕山胡骑⑱鸣啾啾⑲。

---

① 选自《乐府诗集》卷二十五（北宋郭茂倩编，中华书局1979年版）。这是南北朝时北方的一首乐府民歌。

② 〔唧唧〕叹息声。

③ 〔当户织〕对着门织布。

④ 〔机杼（zhù）声〕织布机发出的声音。杼，织布的梭子。

⑤ 〔唯〕只。

⑥ 〔何所思〕想什么。

⑦ 〔忆〕思念。

⑧ 〔军帖（tiě）〕军中的文告。

⑨ 〔可汗（kèhán）大点兵〕可汗大规模地征兵。可汗，我国古代西北地区民族对最高统治者的称呼。

⑩ 〔军书十二卷〕征兵的名册很多卷。军书，军中的文书，这里指征兵的名册。十二，表示多数，不是确指。下文的"十二年"，用法与此相同。

⑪ 〔爷〕和下文的"阿爷"一样，都指父亲。

⑫ 〔愿为市鞍（ān）马〕愿意为（此）去买鞍马。为，介词，为了，其后宾语省略。市，买。鞍马，泛指马和马具。

⑬ 〔鞯（jiān）〕马鞍下的垫子。

⑭ 〔辔（pèi）头〕驾驭牲口用的嚼子和缰绳。

⑮ 〔旦〕早晨。

⑯ 〔溅（jiān）溅〕水流声。

⑰ 〔黑山〕和下文的"燕（yān）山"，都是当时北方的山名。

⑱ 〔胡骑（jì）〕胡人的战马。胡，古代对西北部民族的称呼。

⑲ 〔啾（jiū）啾〕马叫的声音。

万里赴戎机①，关山度若飞②。朔气传金柝③，寒光照铁衣④。将军百战死，壮士十年归。

归来见天子⑤，天子坐明堂⑥。策勋十二转⑦，赏赐百千强⑧。可汗问所欲⑨，木兰不用尚书郎⑩，愿驰千里足⑪，送儿还故乡。

爷娘闻女来，出郭⑫相扶将⑬；阿姊闻妹来，当户理红妆⑭；小弟闻姊来，磨刀霍霍⑮向猪羊。开我东阁门，坐我西阁床。脱我战时袍，著⑯我旧时裳。当窗理云鬓⑰，对镜帖⑱花黄⑲。出门看火伴⑳，火伴皆惊忙：同行十二年，不知木兰是女郎。

雄兔脚扑朔，雌兔眼迷离㉑；双兔傍地走，安能辨我是雄雌㉒？

---

① 〔万里赴戎机〕远行万里，投身战事。戎机，战事。
② 〔关山度若飞〕像飞一样地越过一道道关塞山岭。度，越过。
③ 〔朔（shuò）气传金柝（tuò）〕北方的寒气传送着打更的声音。朔，北方。金柝，古时军中白天用来烧饭、夜里用来打更的器具。
④ 〔铁衣〕铠（kǎi）甲，古代军人穿的护身服装。
⑤ 〔天子〕指上文的"可汗"。
⑥ 〔明堂〕古代帝王举行大典的朝堂。
⑦ 〔策勋十二转（zhuǎn）〕记最大的功。策勋，记功。转，勋位每升一级叫一转，十二转为最高的勋级。
⑧ 〔赏赐百千强〕赏赐很多的财物。强，有余。
⑨ 〔问所欲〕问（木兰）想要什么。
⑩ 〔尚书郎〕尚书省的官。尚书省是古代朝廷中管理国家政事的机关。
⑪ 〔愿驰千里足〕希望驰骋千里马。驰，赶马快跑。
⑫ 〔郭〕外城。
⑬ 〔扶将〕扶持。
⑭ 〔红妆（zhuāng）〕指女子的艳丽装束。
⑮ 〔霍（huò）霍〕磨刀的声音。
⑯ 〔著（zhuó）〕穿。
⑰ 〔云鬓（bìn）〕像云那样的鬓发，形容好看的头发。
⑱ 〔帖〕同"贴"。
⑲ 〔花黄〕古代妇女的一种面部装饰物。
⑳ 〔火伴〕同伍的士兵。当时规定若干士兵同一个灶吃饭，所以称"火伴"。
㉑ 〔雄兔脚扑朔，雌兔眼迷离〕据说，提着兔子的耳朵悬在半空时，雄兔两只前脚时时动弹，雌兔两只眼睛时常眯着，所以容易辨认。扑朔，动弹。迷离，眯着眼。
㉒ 〔双兔傍地走，安能辨我是雄雌〕雄雌两兔贴近地面跑，怎能辨别哪只是雄兔，哪只是雌兔呢？傍，靠近、临近。走，跑。

一 《木兰诗》是一首叙事诗，叙述了一个传奇的故事。梳理课文的故事情节，看哪些地方叙述得详细，哪些地方简略。这样处理好在哪里？

二 《木兰诗》富有北方民歌特色，风格刚健质朴。如诗中多以口语化的问答刻画人物心理，以铺陈排比描述行为情态，最后以风趣的比喻收束全诗。从课文中找出一二例，说说你的感受，并有感情地朗读这首诗，注意体会其韵律、节奏。

三 千百年来，木兰的形象一直深受人们喜爱。读完课文后，你认为原因是什么？木兰的哪些品格最让你感动？

当窗理云鬓，对镜帖花黄。出门看火伴，火伴皆惊忙；同行十二年，不知木兰是女郎。

积累拓展

四 理解下列诗句，注意上下句的意思是相互交错、补充的。

1. 东市买骏马，西市买鞍鞯，南市买辔头，北市买长鞭。

2. 将军百战死，壮士十年归。

3. 开我东阁门，坐我西阁床。

4. 当窗理云鬓，对镜帖花黄。

五 背诵这首诗。

学习抒情

生活中，我们常有动情之时，"情动于中而形于言"，这就是抒情。阅读时，我们常说某篇文章"动人"，往往也是因为它富有感情，能打动读者。

"这几朵月季花真漂亮啊！"

"我有好几年没见到爷爷了，我很想他。"

情贵在真，要抒发自己的真情实感。因为"作者自己如果没有感动，就绝对不能使读者感动"（朱光潜语）。在写作中，情感的抒发要自然，水到渠成。《最后一课》中，热爱、难过、悔恨、怜惜等复杂的情感在小弗郎士心里反复交织、酝酿，最后凝为一句："啊！这最后一课，我真永远忘不了！"感人至深，且毫不突兀。

恰当抒发自己的真情实感，能增强文章的感染力，并深化主题。如《黄河颂》结尾句："我们祖国的英雄儿女，将要学习你的榜样，像你一样的伟大坚强！像你一样的伟大坚强！"这里鲜明、直接地抒发了作者对黄河的景仰、对黄河哺育下的祖国英雄儿女的赞颂之情。

常见的抒情方式有两种：直接抒情和间接抒情。作者不借助别的事物，直截了当地表明自己的情感，即为直接抒情；没有直白的抒情语句，而把情感渗透在叙述、描写和议论中，由读者慢慢体会，则是间接抒情。在一篇文章中，常常兼用这两种抒情方式。一般来说，直接抒情的效果强烈、鲜明，前面所引《最后一课》和《黄河颂》中的语句就是这样；间接抒情则含而不露，耐人寻味。例如，《土地的誓言》铺排描述"参天碧绿的白桦林""红布似的高粱""黑色的土地"等富有关东气息的事物，从中可以体会到作者对故乡的炽热爱恋；《邓稼先》一文，写到"邓稼先是中国几千年传统文化所孕育出来的有最高奉献精神的儿子"，在议论中饱含敬仰之情。

两种抒情方式没有高下之分，但中国传统的审美观念崇尚含蓄美，情感抒发也以间接抒情为主。间接抒情的方法很多，比如："问君能有几多愁，恰似一江春水向东流"，是用比喻将"愁"具体化，形象化；"乡书何处达？归雁洛阳边"，是用有代表性的形象暗示思乡之情；"枯藤老树昏鸦，小桥流水人家"，是用景物描写烘托、渲染感情。这种种方法需要在阅读和写作中有意识地体会，积累，运用。

写作实践

一　片段作文。写一段话，抒发某种情感，如幸福、喜悦、痛苦、忧伤、渴望等。200字左右。

　　提示：

　　1. 可以描写场面、事物，也可以叙述故事。情感的抒发要有内容，有凭借。

　　2. 根据内容特点和表达需要，选择合适的抒情方式。

二　在《土地的誓言》里，作者以饱满的热情描绘了他那美丽而丰饶的家乡。你的家乡是什么样的？你对它怀有怎样的情感？以《乡情》为题，写一篇作文。不少于500字。

　　提示：

　　1. 关于家乡，你应该有许多内容可写：家乡的景色、物产、风俗，以及你在家乡的生活……不必面面俱到，要有侧重地写作。

　　2. 直接抒情应基于相关的记叙、描写，顺势而发；间接抒情时，所写内容要与表达的情感相协调。

　　3. 写完初稿后，读给同学听听，看看你的作文是否能打动人。如果效果不好，和同学讨论，看看问题出在什么地方，然后做出相应的修改。

三　我们每个人都会有烦恼，烦恼后面也许有一段小故事。以《我的烦恼》为题，写一篇作文。注意抒发自己的真情实感。不少于500字。

　　提示：

　　1. 每个人可能都会有烦恼，比如：妈妈总是拿你和别人比，说你这不行那不行；很喜欢跳舞，家人却不支持；唱歌总是跑调，每次上音乐课都很尴尬……想一想，你有什么烦恼？哪些可以作为写作的素材？

　　2. 写"烦恼"的时候，要把事情、原因写清楚，还要写出烦恼时的具体感受，让人读了以后能体会你的处境和心情。

　　3. 作文写完以后，可以和同学们互相交流，看看大家的烦恼是什么，并相互开导、帮助，争取消除这些烦恼。

天下国家

　　"天下国家"是一个古老的话题，在两千多年前的战国时期，人们就经常讨论。孟子说："人有恒言，皆曰'天下国家'。天下之本在国，国之本在家，家之本在身。"（《孟子·离娄上》）看来，个人与国家的命运是息息相关的。每个人对自己国家的热爱，都是近乎本能的。关心祖国的命运，为之奋斗为之牺牲；赞美祖国的山河，为之描画为之歌咏；热爱祖国的语言文字、历史文化，为之沉醉为之感动……这些都是爱国情怀的表现。在中华文明悠久的历史中，爱国主义精神一直是中华民族得以凝聚、生存和发展的强大动力。

　　下面的活动就是以"爱国"为核心的。全班可以分成三个小组，分别选择一个主题活动进行准备，然后推选出优秀者，在全班交流展示。

一、激发心志：爱国人物故事会

　　你是否曾读到某个爱国英雄故事时热血沸腾？是否曾被某些爱国人物的事迹感动得热泪盈眶？搜集你喜欢或熟悉的爱国故事，召开一次故事会，与同学们分享你的感受。

　　1. 结合课内的学习以及课外阅读的积累，选择你熟悉的一两个历史人物，利用报刊书籍或网络，搜集他们的爱国事迹。小组内可以适当分工。比如，有的同学搜集古代事迹，有的搜集近现代事迹；有的偏重政治家，有的偏重科学家；等等。

　　2. 从搜集来的事迹中选取一两个有代表性的故事进行适当的加工。比如，加入一些细节描写，想象人物当时的心理，描摹人物的动作、神情。要突出重点，详略得当，并拟一个恰切的小标题。

> 　　讲故事时要使用普通话，争取做到声音响亮、清晰，语言生动、流畅。
> 　　注意根据故事情节的起伏调整语调和神态，还可以加入适当的动作，以便把故事讲得生动感人。

二、陶冶心灵：爱国诗词朗诵会

　　爱国，是诗歌常见的主题。古往今来，诗人们以诗词的形式，歌咏祖国大好河山，赞颂爱国历史人物，表达对国家命运的牵挂，抒发个人报国之志——爱国情怀成为这些诗作最感动人、最振奋人心的旋律。搜集一些爱国诗词，举行一次小型诗歌朗诵会，感受高尚的爱国情怀。

1. 小组成员分类搜集爱国诗词。比如，有的侧重搜集我国古代诗歌，有的侧重搜集我国现代新诗，还有的侧重搜集外国诗歌。

爱国诗词小提示

屈原：《离骚》、《国殇》、《涉江》。如果原文比较难懂，可以参考相关的译文。

杜甫：《前出塞》九首、《后出塞》五首、《春望》、《秦州杂诗》二十首、《闻官军收河南河北》等。

陆游：《金错刀行》、《秋夜将晓出篱门迎凉有感》二首、《十一月四日风雨大作》、《追感往事》五首、《示儿》、《诉衷情》（当年万里觅封侯）等。

辛弃疾：《水龙吟》（渡江天马南来）、《破阵子·为陈同甫赋壮词以寄之》、《鹧鸪天》（壮岁旌旗拥万夫）、《南乡子·登京口北固亭有怀》等。

文天祥：《过零丁洋》、《金陵驿》二首、《正气歌》等。

2. 组长负责汇总，并指定几位同学整理这些诗词。比如做出分类，统一字体字号，校订文字。

3. 每人从中选择一首自己最喜欢的诗词进行朗诵。有条件的，最好配上合适的乐曲作为背景音乐。

4. 选出几位评委。评委从读音、语调、节奏、表情、感染力与背景音乐等方面对大家的朗诵进行评判，评出优胜者。

三、启发心智：爱国名言展示会

有这样一些名言警句，或表达对祖国的感恩，或抒发对故土的思念，或阐述爱国精神的实质，或思索个人与国家休戚相关的命运，虽然都是"只言片语"，却因其语言精练，颇具思辨色彩，而更显情思隽永，精警动人。课外搜集爱国主题的名言警句，组织一次爱国名言展示会。

1．小组合作，分类搜集爱国名言。可按国别和历史时期分类，也可按照主题分类，比如有的同学搜集带有思辨性的名言，有的搜集表达爱国情思的名言。

爱国名言小窗口

以家为家，以乡为乡，以国为国，以天下为天下。（《管子·牧民》）

烈士之爱国也如家。（葛洪）

保天下者，匹夫之贱与有责焉耳矣。（顾炎武）

我荣幸地从中华民族一员的资格，而成为世界公民。我是中国人民的儿子，我深情地爱着我的祖国和人民。（邓小平）

谁不属于自己的祖国，他就不属于人类。（海涅）

2．组长负责汇总、整理大家的搜集成果，并召集大家一起阅读、讨论。最好每个人选一两条名言，谈谈自己的理解和认识。

3．采用各种形式，如办黑板报、制作幻灯片、创作书法作品等，将整理出来的名言在班内展示。

在全班交流的基础上，重新自由组合三个小组，分别设计制作一份手抄报。手抄报的内容可以包括以上完成的内容，还可以增添其他有关爱国的内容。

第三单元

本单元的课文都是关于"小人物"的故事。这些人物虽然平凡，且有弱点，但在他们身上又常常闪现优秀品格的光辉，引导人们向善、务实、求美。其实，普通人也一样可以活得精彩，抵达某种人生的境界。

本单元的学习注重熟读精思。要注意从标题、详略安排、角度选择等方面把握文章重点；从开头、结尾、文中的反复及特别之处发现关键语句，感受文章的意蕴。

9 阿长与《山海经》①

鲁 迅

预 习

◎ "阿长"就是"长妈妈",我们已经从《从百草园到三味书屋》中知道她了。阿长怎么有这么大魅力,在鲁迅笔下被反复提及,甚至还成为文章专门描写的对象?借助课文注释,读完全文,做好交流阅读感受的准备。

◎ 《山海经》是一本什么书?鲁迅小时候喜欢看的书,与你小时候相比,是否有很大不同?

长妈妈,已经说过,是一个一向带领着我的女工,说得阔气一点,就是我的保姆。我的母亲和许多别的人都这样称呼她,似乎略带些客气的意思。只有祖母叫她阿长。我平时叫她"阿妈",连"长"字也不带;但到憎恶她的时候,——例如知道了谋死②我那隐鼠③的却是她的时候,就叫她阿长。

我们那里没有姓长的;她生得黄胖而矮,"长"也不是形容词。又不是她的名字,记得她自己说过,她的名字是叫作什么姑娘的。什么姑娘,我现在已经忘却了,总之不是长姑娘;也终于不知道她姓什么。记得她也曾告诉过我这个名称的来历:先前的先前,我家有一个女工,身材生得很高大,这就是真阿长。后来她回去了,我那什么姑娘才来补她的缺,然而大家因为叫惯了,没有再改口,于是她从此也就成为长妈妈了。

虽然背地里说人长短不是好事情,但倘使要我说句真心话,我可只得说:我实在不大佩服她。最讨厌的是常喜欢切切察察④,向人们低声絮说⑤些什么事,还竖起第二个手指,在空中上下摇动,或者点着对手或自己的鼻尖。我的家里一有些小风波,不知怎的我总疑心和这"切切察察"有些关系。又不许

---

① 选自《朝花夕拾》(《鲁迅全集》第二卷,人民文学出版社2005年版)。

② 〔谋死〕谋杀。

③ 〔隐鼠〕即鼷(xī)鼠,一种小鼠。

④ 〔切切察察〕细碎的说话声。

⑤ 〔絮说〕絮絮叨叨地说。

我走动，拔一株草，翻一块石头，就说我顽皮，要告诉我的母亲去了。一到夏天，睡觉时她又伸开两脚两手，在床中间摆成一个"大"字，挤得我没有余地翻身，久睡在一角的席子上，又已经烤得那么热。推她呢，不动；叫她呢，也不闻。

"长妈妈生得那么胖，一定很怕热罢？晚上的睡相，怕不见得很好罢？……"

母亲听到我多回诉苦之后，曾经这样地问过她。我也知道这意思是要她多给我一些空席。她不开口。但到夜里，我热得醒来的时候，却仍然看见满床摆着一个"大"字，一条臂膊还搁在我的颈子上。我想，这实在是无法可想了。

但是她懂得许多规矩；这些规矩，也大概是我所不耐烦的。一年中最高兴的时节，自然要数除夕了。辞岁之后，从长辈得到压岁钱，红纸包着，放在枕边，只要过一宵，便可以随意使用。睡在枕上，看着红包，想到明天买来的小鼓，刀枪，泥人，糖菩萨……。然而她进来，又将一个福橘①放在床头了。

"哥儿，你牢牢记住！"她极其郑重地说。"明天是正月初一，清早一睁开眼睛，第一句话就得对我说：'阿妈，恭喜恭喜！'记得么？你要记着，这是一年的运气的事情。不许说别的话！说过之后，还得吃一点福橘。"她又拿起那橘子来在我的眼前摇了两摇，"那么，一年到头，顺顺流流②……。"

梦里也记得元旦③的，第二天醒得特别早，一醒，就要坐起来。她却立刻伸出臂膊，一把将我按住。我惊异地看她时，只见她惶急地看着我。

她又有所要求似的，摇着我的肩。我忽而记得了——

"阿妈，恭喜……。"

"恭喜恭喜！大家恭喜！真聪明！恭喜恭喜！"她于是十分喜欢似的，笑将起来，同时将一点冰冷的东西，塞在我的嘴里。我大吃一惊之后，也就忽而记得，这就是所谓福橘，元旦辟头④的磨难，总算已经受完，可以下床玩耍去了。

她教给我的道理还很多，例如说人死了，不该说死掉，必须说"老掉了"；死了人，生了孩子的屋子里，不应该走进去；饭粒落在地上，必须拣起来，最好是吃下去；晒裤子用的竹竿底下，是万不可钻过去的……。此外，现在大抵忘却了，只有元旦的古怪仪式记得最清楚。总之：都是些烦琐之至，至今想起来还觉得非常麻烦的事情。

①〔福橘〕福建产的橘子。因其名带有"福"字，为取吉利，旧时江浙民间有在正月初一早晨吃福橘的习俗。
②〔顺顺流流〕顺当。现在写作"顺顺溜溜"。
③〔元旦〕这里指农历正月初一。
④〔辟头〕开头。

然而我有一时也对她发生过空前的敬意。她常常对我讲"长毛①"。她之所谓"长毛"者，不但洪秀全②军，似乎连后来一切土匪强盗都在内，但除却革命党，因为那时还没有。她说得长毛非常可怕，他们的话就听不懂。她说先前长毛进城的时候，我家全都逃到海边去了，只留一个门房和年老的煮饭老妈子看家。后来长毛果然进门来了，那老妈子便叫他们"大王"，——据说对长毛就应该这样叫，——诉说自己的饥饿。长毛笑道："那么，这东西就给你吃了罢！"将一个圆圆的东西掷了过来，还带着一条小辫子，正是那门房的头。煮饭老妈子从此就骇破了胆，后来一提起，还是立刻面如土色，自己轻轻地拍着胸脯道："阿呀③，骇死我了，骇死我了……。"

　　我那时似乎倒并不怕，因为我觉得这些事和我毫不相干的，我不是一个门房。但她大概也即觉到了，说道："像你似的小孩子，长毛也要掳的，掳去做小长毛。还有好看的姑娘，也要掳。"

　　"那么，你是不要紧的。"我以为她一定最安全了，既不做门房，又不是小孩子，也生得不好看，况且颈子上还有许多灸疮疤。

　　"那里④的话?！"她严肃地说。"我们就没有用么？我们也要被掳去。城外有兵来攻的时候，长毛就叫我们脱下裤子，一排一排地站在城墙上，外面的大炮就放不出来；再要放，就炸了！"

　　这实在是出于我意想之外的，不能不惊异。我一向只以为她满肚子是麻烦的礼节罢了，却不料她还有这样伟大的神力。从此对于她就有了特别的敬意，似乎实在深不可测；夜间的伸开手脚，占领全床，那当然是情有可原的了，倒应该我退让。

　　这种敬意，虽然也逐渐淡薄起来，但完全消失，大概是在知道她谋害了我的隐鼠之后。那时就极严重地诘问，而且当面叫她阿长。我想我又不真做小长毛，不去攻城，也不放炮，更不怕炮炸，我惧惮她什么呢！

　　但当我哀悼隐鼠，给它复仇的时候，一面又在渴慕着绘图的《山海经》了。这渴慕是从一个远房的叔祖⑤惹起来的。他是一个胖胖的，和蔼的老人，爱种一点花木，如珠兰，茉莉之类，还有极其少见的，据说从北边带回去的马缨花。他的太太却正相反，什么也莫名其妙，曾将晒衣服的竹竿搁在珠兰的枝条上，枝折了，还要愤愤地咒骂道："死尸！"这老人是个寂寞者，因为无人

---

① 〔长（cháng）毛〕太平天国的军队恢复蓄发不剃的传统，用以对抗清朝剃发留辫的律令，所以当时被称为"长毛"。
② 〔洪秀全（1814—1864）〕广东花县（今广州市花

都区）人，太平天国农民革命运动的领袖。
③ 〔阿呀〕现在写作"啊呀"。
④ 〔那里〕现在写作"哪里"。
⑤ 〔远房的叔祖〕指周兆蓝，字玉田，是个秀才。

可谈，就很爱和孩子们往来，有时简直称我们为"小友"。在我们聚族而居的宅子里，只有他书多，而且特别。制艺和试帖诗①，自然也是有的；但我却只在他的书斋里，看见过陆玑②的《毛诗草木鸟兽虫鱼疏》，还有许多名目很生的书籍。我那时最爱看的是《花镜》③，上面有许多图。他说给我听，曾经有过一部绘图的《山海经》，画着人面的兽，九头的蛇，三脚的鸟，生着翅膀的人，没有头而以两乳当作眼睛的怪物，……可惜现在不知道放在那里了。

我很愿意看看这样的图画，但不好意思力逼他去寻找，他是很疏懒的。问别人呢，谁也不肯真实地回答我。压岁钱还有几百文，买罢，又没有好机会。有书买的大街离我家远得很，我一年中只能在正月间去玩一趟，那时候，两家书店都紧紧地关着门。

玩的时候倒是没有什么的，但一坐下，我就记得绘图的《山海经》。

大概是太过于念念不忘了，连阿长也来问《山海经》是怎么一回事。这是我向来没有和她说过的，我知道她并非学者，说了也无益；但既然来问，也就都对她说了。

过了十多天，或者一个月罢，我还很记得，是她告假回家以后的四五天，她穿着新的蓝布衫回来了，一见面，就将一包书递给我，高兴地说道：

"哥儿，有画儿的'三哼经'，我给你买来了！"

我似乎遇着了一个霹雳，全体④都震悚⑤起来；赶紧去接过来，打开纸包，是四本小小的书，略略一翻，人面的兽，九头的蛇，……果然都在内。

这又使我发生新的敬意了，别人

①〔制艺和试帖诗〕科举考试规定的程式化诗文。这里指当时书坊刊印的八股文和试帖诗的范本。
②〔陆玑（jī）〕三国时吴国吴郡人，著有《毛诗草木鸟兽虫鱼疏》。该书是解释《毛诗》中动植物名称的书。《毛诗》即《诗经》，今传《诗经》相传为西汉毛亨、毛苌（cháng）所传，故称《毛诗》。
③〔《花镜》〕即《秘传花镜》，清代杭州人陈淏（hào）子著，是一部讲述园圃花木的书。
④〔全体〕全身。
⑤〔震悚（sǒng）〕身体因恐惧或过度兴奋而颤动。

《增补绘像山海经广注》中的"帝江""刑天"插图

不肯做，或不能做的事，她却能够做成功。她确有伟大的神力。谋害隐鼠的怨恨，从此完全消灭了。

这四本书，乃是我最初得到，最为心爱的宝书。

书的模样，到现在还在眼前。可是从还在眼前的模样来说，却是一部刻印都十分粗拙的本子。纸张很黄；图像也很坏，甚至于几乎全用直线凑合，连动物的眼睛也都是长方形的。但那是我最为心爱的宝书，看起来，确是人面的兽；九头的蛇；一脚的牛；袋子似的帝江①；没有头而"以乳为目，以脐为口"，还要"执干戚②而舞"的刑天③。

此后我就更其搜集绘图的书，于是有了石印的《尔雅音图》④和《毛诗品物图考》⑤，又有了《点石斋丛画》⑥和《诗画舫》⑦。《山海经》也另买了一部石印的，每卷都有图赞⑧，绿色的画，字是红的，比那木刻的精致得多了。这一部直到前年还在，是缩印的郝懿行⑨疏。木刻的却已经记不清是什么时候失掉了。

我的保姆，长妈妈即阿长，辞了这人世，大概也有了三十年了罢。我终于不知道她的姓名，她的经历；仅知道有一个过继的儿子，她大约是青年守寡的孤孀⑩。

仁厚黑暗的地母呵，愿在你怀里永安她的魂灵！

三月十日⑪。

---

① 〔帝江〕《山海经》中能歌善舞的神鸟。
② 〔执干戚〕拿着盾、斧。干，盾牌。戚，古兵器名，斧的一种。
③ 〔刑天〕《山海经》中的神话人物，也作"形天"。
④ 〔《尔雅音图》〕宋人注明字音并加插图的一种《尔雅》版本。《尔雅》是我国古代的辞书，作者不详，大概是汉初的著作。
⑤ 〔《毛诗品物图考》〕把《毛诗》中动植物画出图像并加简明考证的书。日本冈元凤作，共七卷。
⑥ 〔《点石斋丛画》〕一部汇辑中国画家作品的画谱，其中也收有日本画家的作品。尊闻阁主人编，共十卷。
⑦ 〔《诗画舫》〕画谱，汇印明代隆庆、万历年间画家的作品。
⑧ 〔图赞〕写在画面或图页上的赞美诗文。
⑨ 〔郝懿（yì）行（1757—1825）〕字恂（xún）九，号兰皋，山东栖霞人，清代经学家。著有《尔雅义疏》《山海经笺疏》等。
⑩ 〔孤孀（shuāng）〕寡妇。
⑪ 〔三月十日〕指1926年3月10日。

思考探究

一 熟读课文，看看文章围绕阿长写了哪些事情，详写了什么，略写了什么。从这些事情中，可以看出阿长是个什么样的人？结合课文，想一想作者为什么要写这样一个人。

二 这是一篇回忆童年生活的散文，作者将写作时的回忆与童年的感受彼此交错转换。在通篇阅读、整体感知的基础上，讨论并完成下列各题。

1. 分别找出代表"写作时的回忆"与"童年的感受"的一些语句，体会文中"成年的我"和"童年的我"两种叙述视角的不同。

2. 在"写作时的回忆"中，作者对阿长的怀念充满了温情。你从哪里能读出来？

3. 在"童年的感受"中，作者对阿长的印象和态度是有变化的。试简要说明。

三 "伟大的神力"在文中两次出现。联系上下文，说说其含义的不同。

四 文中一些语句略带夸张。揣摩下列语句，讨论括号里的问题。

1. 但到憎恶她的时候，——例如知道了谋死我那隐鼠的却是她的时候，就叫她阿长。

（为什么要用"憎恶""谋死"这样的词语呢？）

2. 然而我有一时也对她发生过空前的敬意。

（这里用"空前"来修饰"敬意"，给你什么感觉？你怎么理解"敬意"在文中的具体含义？）

3. 夜间的伸开手脚，占领全床，那当然是情有可原的了，倒应该我退让。

（作者是否真的认为"情有可原"，"应该我退让"？你的理由是什么？）

积累拓展

五 课外翻阅绘图版《山海经》，试着查找关于"九头的蛇""三脚的鸟""一脚的牛"等的文字或配图，看看这些"怪物"究竟是什么。同时，大体了解这本书的主要内容，感受其神奇色彩。

搁	掷	脐	憎 恶	菩 萨	竹 竿	烦 琐
土 匪	辫 子		胸 脯	疮 疤	诘 问	哀 悼
茉 莉	书 斋		霹 雳	震 悚	粗 拙	守 寡

长妈妈其人

长妈妈（？—1899），浙江绍兴东浦大门溇人。她是鲁迅儿时的保姆。

长妈妈的夫家姓余，有一个过继的儿子叫五九，是做裁缝的。

"长妈妈只是许多旧式女人中的一个，做了一辈子的老妈子（乡下叫作'做妈妈'），平时也不回家去，直到临死。"长妈妈患有羊癫病，1899年4月"初六日雨中放舟至大树港看戏，鸿寿堂徽班，长妈妈发病，辰刻身故"。

鲁迅对长妈妈怀有深厚的感情，在《朝花夕拾》中，有好几篇文章回忆到与长妈妈有关的往事，其中《阿长与〈山海经〉》是专门回忆和纪念她的。

（选自《鲁迅生平史料汇编》第一辑，天津人民出版社1981年版，有删节）

10 老 王①

杨 绛

预习

◎ 阅读课文，想一想，在作者眼中，老王是个怎样的人？

◎ 再读一遍课文，想一想，在老王眼中，杨绛又会是个什么样的人呢？

我常坐老王的三轮。他蹬，我坐，一路上我们说着闲话。

据老王自己讲：北京解放后，蹬三轮的都组织起来；那时候他"脑袋慢"，"没绕过来"，"晚了一步"，就"进不去了"。他感叹自己"人老了，没用了"。老王常有失群落伍的惶恐，因为他是单干户。他靠着活命的只是一辆破旧的三轮车。有个哥哥，死了，有两个侄儿，"没出息"，此外就没什么亲人。

老王只有一只眼，另一只是"田螺眼"，瞎的。乘客不愿坐他的车，怕他看不清，撞了什么。有人说，这老光棍大约年轻时候不老实，害了什么恶病，瞎掉一只眼。他那只好眼也有病，天黑了就看不见。有一次，他撞在电杆上，撞得半面肿胀，又青又紫。那时候我们在干校②，我女儿说他是夜盲症，给他吃了大瓶的鱼肝油，晚上就看得见了。他也许是从小营养不良而瞎了一眼，也许是得了恶病，反正同是不幸，而后者该是更深的不幸。

有一天傍晚，我们夫妇散步，经过一个荒僻的小胡同，看见一个破破落落的大院，里面有几间塌败③的小屋；老王正蹬着他那辆三轮进大院去。后来我坐着老王的车和他闲聊的时候，问起那里是不是他的家。他说，住那儿多年了。

有一年夏天，老王给我们楼下人家送冰，愿意给我们家带送，车费减半。

---

① 选自《杨绛散文》（浙江文艺出版社1994年版）。有改动。杨绛（1911—2016），江苏无锡人，作家、翻译家。代表作有散文《干校六记》、译作《堂吉诃德》等。

② 〔干校〕指"五七干校"，"文化大革命"期间国家干部集体下放劳动锻炼的场所。

③ 〔塌败〕塌陷破败。

我们当然不要他减半收费。每天清晨，老王抱着冰上三楼，代我们放入冰箱。他送的冰比他前任送的大一倍，冰价相等。胡同口蹬三轮的我们大多熟识，老王是其中最老实的。他从没看透我们是好欺负的主顾，他大概压根儿没想到这点。

"文化大革命"开始，默存①不知怎么的一条腿走不得路了。我代他请了假，烦老王送他上医院。我自己不敢乘三轮，挤公共汽车到医院门口等待。老王帮我把默存扶下车，却坚决不肯拿钱。他说："我送钱先生看病，不要钱。"我一定要给他钱，他哑着嗓子悄悄问我："你还有钱吗？"我笑着说有钱，他拿了钱却还不大放心。

我们从干校回来，载客三轮都取缔了。老王只好把他那辆三轮改成运货的平板三轮。他并没有力气运送什么货物。幸亏有一位老先生愿把自己降格为"货"，让老王运送。老王欣然在三轮平板的周围装上半寸高的边缘，好像有了这半寸边缘，乘客就围住了不会掉落。我问老王凭这位主顾，是否能维持生活，他说可以凑合。可是过些时老王病了，不知什么病，花钱吃了不知什么药，总不见好。开始几个月他还能扶病到我家来，以后只好托他同院的老李来代他传话了。

有一天，我在家听到打门，开门看见老王直僵僵地镶嵌在门框里。往常他坐在蹬三轮的座上，或抱着冰伛②着身子进我家来，不显得那么高。也许他平时不那么瘦，也不那么直僵僵的。他面色死灰，两只眼上都结着一层翳③，分不清哪一只瞎，哪一只不瞎。说得可笑些，他简直像棺材里倒出来的，就像我想象里的僵尸，骷髅上绷着一层枯黄的干皮，打上一棍就会散成一堆白骨。我吃惊地说："啊呀，老王，你好些了吗？"

他"嗯"了一声，直着脚往里走，对我伸出两手。他一手提着个瓶子，一手提着一包东西。

我忙去接。瓶子里是香油，包裹里是鸡蛋。我记不清是十个还是二十个，因为在我记忆里多得数不完。我也记不起他是怎么说的，反正意思很明白，那是他送我们的。

我强笑说："老王，这么新鲜的大鸡蛋，都给我们吃？"

他只说："我不吃。"

---

① 〔默存〕本文作者的丈夫钱锺书的字。钱锺书（1910—1998），江苏无锡人，作家、学者。代表作有小说《围城》，学术著作《谈艺录》《管锥编》等。

② 〔伛（yǔ）〕弯（腰）曲（背）。

③ 〔翳（yì）〕眼角膜病变后留下的疤痕。

我谢了他的好香油，谢了他的大鸡蛋，然后转身进屋去。他赶忙止住我说："我不是要钱。"

我也赶忙解释："我知道，我知道——不过你既然来了，就免得托人捎了。"

他也许觉得我这话有理，站着等我。

我把他包鸡蛋的一方灰不灰、蓝不蓝的方格子破布叠好还他。他一手拿着布，一手攥着钱，滞笨①地转过身子。我忙去给他开了门，站在楼梯口，看他直着脚一级一级下楼去，直担心他半楼梯摔倒。等到听不见脚步声，我回屋才感到抱歉，没请他坐坐喝口茶水。可是我害怕得糊涂了。那直僵僵的身体好像不能坐，稍一弯曲就会散成一堆骨头。我不能想象他是怎么回家的。

过了十多天，我碰见老王同院的老李。我问："老王怎么了？好些没有？"

"早埋了。"

"呀，他什么时候……"

"什么时候死的？就是到您那儿的第二天。"

他还讲老王身上缠了多少尺全新的白布——因为老王是回民，埋在什么沟里。我也不懂，没多问。

我回家看着还没动用的那瓶香油和没吃完的鸡蛋，一再追忆老王和我对答的话，琢磨他是否知道我领受他的谢意。我想他是知道的。但不知为什么，每想起老王，总觉得心上不安。因为吃了他的香油和鸡蛋？因为他来表示感谢，我却拿钱去侮辱他？都不是。几年过去了，我渐渐明白：那是一个幸运的人对一个不幸者的愧怍②。

? 思考探究

一　读完这篇课文，也许你会联想到下面这些词语：穷苦、命运、平等、尊重、同情、人道关怀……你能结合课文内容，围绕其中的一两个词语谈谈感受吗？

二　文中多次提到"我"付钱给老王，试着找出相关的语句，想一想：在"我"和老王的交往中，钱起到了什么作用？

---

①〔滞笨〕呆滞笨拙。　②〔愧怍（zuò）〕惭愧。

三 细读课文中"老王来送香油鸡蛋"的段落，探究下列问题。

1. 为什么要详写这部分内容？

2. 在这部分中，又为什么要详写老王的肖像、神态以及"我"的心理活动？

3. 怎么理解作者所说的"可是我害怕得糊涂了"？

四 联系上下文，揣摩句中加点词表情达意的效果。

1. 我们当然不要他减半收费。

（一般什么情况下说"当然"？"当然"用在这里，流露了"我们"什么样的心理？）

2. 他从没看透我们是好欺负的主顾，他大概压根儿没想到这点。

（"从"和"压根儿"强调的是什么？"大概"同"压根儿"是否矛盾？）

3. 我也赶忙解释："我知道，我知道——不过你既然来了，就免得托人捎了。"

（"我"为什么这么说？）

积累拓展

五 课文结尾说："那是一个幸运的人对一个不幸者的愧怍。"作者为什么"愧怍"？这种"愧怍"的感人之处在哪里？结尾往往是理解文章的关键，在以后的阅读中不妨多留意一下结尾的语句。

读读写写

蹬		绷		捎		惶	恐		肿	胀		荒	僻		取	缔
降	格		镶	嵌		门	框		滞	笨		侮	辱		愧	怍

11 台 阶①

李森祥

父亲总觉得我们家的台阶低。

我们家的台阶有三级，用三块青石板铺成。那石板多年前由父亲从山上背下来，每块大约有三百来斤重。那个石匠笑着为父亲托在肩膀上，说是能一口气背到家，不收石料钱。结果父亲一下子背了三趟，还没觉得花了太大的力气。只是那一来一去的许多山路，磨破了他一双麻筋草鞋，父亲感到太可惜。

那石板没经石匠光面，就铺在家门口。多年来，风吹雨淋，人踩牛踏，终于光滑了些，但磨不平那一颗颗硬币大的小凹凼②。台阶上积了水时，从堂里望出去，有许多小亮点。天若放晴，穿堂风一吹，青石板比泥地干得快，父亲又用竹丝扫把扫了，石板上青幽幽的，宽敞阴凉，由不得人不去坐一坐，躺一躺。

母亲坐在门槛上干活，我就被安置在青石板上。母亲说我那时好乖，我乖得坐坐就知道趴下来，用手指抓青石板，划出细细的沙沙声，我就痴痴地笑。我流着一大串涎水，张嘴在青石板上啃，结果啃了一嘴泥沫子。再大些，我就喜欢站在那条青石门槛上往台阶上跳。先是跳一级台阶，蹦、蹦、蹦！后来，我就跳二级台阶，蹦、蹦！再后来，我跳三级台阶，蹦！又觉得从上往下跳没意思，便调了个头，从下往上跳，啪、啪、啪！后

起笔引人思考，父亲为什么"总"有这样的感觉？

---

① 选自小说集《台阶》（作家出版社1992年版）。　② 〔凼（dàng）〕方言，水坑。
有删节。

来，又跳二级，啪、啪！再后来，又跳三级，啪！我想一步跳到门槛上，但摔了一大跤。父亲拍拍我后脑勺说，这样是会吃苦头的！

父亲的个子高，他觉得坐在台阶上很舒服。父亲把屁股坐在最高的一级上，两只脚板就搁在最低的一级。他的脚板宽大，裂着许多干沟，沟里嵌着沙子和泥土。父亲的这双脚是洗不干净的，他一般都去凼里洗，拖着一双湿了的草鞋唿嗒唿嗒地走回来。大概到了过年，父亲才在家里洗一次脚。那天，母亲就特别高兴，亲自为他端了一大木盆水。盆水冒着热气，父亲就坐在台阶上很耐心地洗。因为沙子多的缘故，父亲要了个板刷在脚上沙啦沙啦地刷。后来父亲的脚终于洗好了，终于洗出了脚的本色，却也是黄几几的，是泥土的颜色。我为他倒水，倒出的是一盆泥浆，木盆底上还积了一层沙。父亲说洗了一次干净的脚，觉得这脚轻飘飘的没着落，踏在最硬实的青石板上也像踩在棉花上似的。

"我们家的台阶低！"

父亲又像是对我，又像是自言自语地感叹。这句话他不知说了多少遍。

在我们家乡，住家门口总有台阶，高低不尽相同，从二三级到十几级的都有。家乡地势低，屋基做高些，不大容易进水。另外还有一说，台阶高，屋主人的地位就相应高。乡邻们在一起常常戏称："你们家的台阶高！"言外之意，就是你们家有地位啊。

父亲老实厚道低眉顺眼累了一辈子，没人说过他有地位，父亲也从没觉得自己有地位。但他日夜盼着，准备着要造一栋有高台阶的新屋。

父亲的准备是十分漫长的。他今天从地里捡回一块砖，明天可能又捡进一片瓦，再就是往一

如此详写父亲洗脚，是要表现什么？

台阶的高低象征着地位的不同，所以父亲总说"我们家的台阶低"。你怎样理解这种心态？

个黑瓦罐里塞角票。虽然这些都很微不足道，但他做得很认真。

于是，一年中他七个月种田，四个月去山里砍柴，半个月在大溪滩上捡屋基卵石，剩下半个月用来过年、编草鞋。

大热天父亲挑一担谷子回来，身上淌着一片大汗，顾不得揩一把，就往门口的台阶上一坐。他开始"磨刀"。"磨刀"就是过烟瘾。烟吃饱了，"刀"快，活做得去①。

台阶旁栽着一棵桃树，桃树为台阶遮出一片绿荫。父亲坐在绿荫里，能看见别人家高高的台阶，那里栽着几棵柳树，柳树枝老是摇来摇去，却摇不散父亲那专注的目光。这时，一片片旱烟雾在父亲头上飘来飘去。

摇晃的树枝，摇不散的目光。想想父亲此时的心理。

父亲磨好了"刀"。去烟灰时，把烟枪的铜盏对着青石板嘎嘎地敲一敲，就匆忙地下田去。

冬天，晚稻收仓了，春花也种下地，父亲穿着草鞋去山里砍柴。他砍柴一为家烧，二为卖钱，一元一担。父亲一天砍一担半，得一元五角。那时我不知道山有多远，只知道鸡叫三遍时父亲出发，黄昏贴近家门口时归来，把柴靠在墙根上，很疲倦地坐在台阶上，把已经磨穿了底的草鞋脱下来，垒在门墙边。一个冬天下来，破草鞋堆得超过了台阶。

面对生活，执着而坚韧，这就是朴实的中国农民！

父亲就是这样准备了大半辈子。塞角票的瓦罐满了几次，门口空地上鹅卵石堆得小山般高。他终于觉得可以造屋了，便选定一个日子，破土动工。

造屋的那些日子，父亲很兴奋。白天，他陪请来的匠人一起干，晚上他一个人搬砖头、担泥、

---

① 〔活做得去〕方言，能干活的意思。

筹划材料，干到半夜。睡下三四个钟头，他又起床安排第二天的活。我担心父亲有一天会垮下来。然而，父亲的精力却很旺盛，脸上总是挂着笑容，在屋场上从这头走到那头，给这个递一支烟，又为那个送一杯茶。终于，屋顶的最后一片瓦也盖上了。

接着开始造台阶。

那天早上父亲天没亮就起了床，我听着父亲的脚步声很轻地响进院子里去。我起来时，父亲已在新屋门口踏黄泥。黄泥是用来砌缝的，这种黏性很强的黄泥掺上一些石灰水豆浆水，砌出的缝铁老鼠也钻不开。那时已经是深秋，露水很大，雾也很大，父亲浮在雾里。父亲头发上像是飘了一层细雨，每一根细发都艰难地挑着一颗乃至数颗小水珠，随着父亲踏黄泥的节奏一起一伏。晃破了便滚到额头上，额头上一会儿就滚满了黄豆大的露珠。

等泥水匠和两个助工来的时候，父亲已经把满满一凼黄泥踏好。那黄泥加了石灰水和豆浆水，颜色似玉米面，红中透着白，上面冒着几个水泡，被早晨的阳光照着，亮亮的，红得很耀眼。

父亲从老屋里拿出四颗大鞭炮，他居然不敢放，让我来。我把火一点，呼一声，鞭炮蹿上了高空，稍停顿一下便掉下来，在即将落地的瞬间，啪——那条红色的纸棍便被炸得粉碎。许多纸筒落在父亲的头上肩膀上，父亲的两手没处放似的，抄着不是，贴在胯骨上也不是。他仿佛觉得有许多目光在望他，就尽力把胸挺得高些，无奈，他的背是驼惯了的，胸无法挺得高。因而，父亲明明该高兴，却露出些尴尬的笑。

不知怎么回事，我也偏偏在这让人高兴的瞬间发现，父亲老了。糟糕的是，父亲却没真正觉

这一段中有不少动词使用准确、生动，试选取一处用一两句话做点评。

得他自己老，他仍然和我们一起去撬老屋门口那三块青石板，父亲边撬边和泥水匠争论那石板到底多重。泥水匠说大约有三百五十斤吧，父亲说不到三百斤。我亲眼看到父亲在用手去托青石板时腰闪了一下。我就不让他抬，他坚持要抬。抬的时候，他的一只手按着腰。

三块青石板作为新台阶的基石被砌进去了。父亲曾摸着其中一块的那个小凹凼惊异地说："想不到这么深了，怪不得我的烟枪已经用旧了三根呢。"

新台阶砌好了，九级，正好比老台阶高出两倍。新台阶很气派，全部用水泥抹的面，泥瓦匠也很用心，面抹得很光。父亲按照要求，每天在上面浇一遍水。隔天，父亲就用手去按一按台阶，说硬了硬了。再隔几天，他又用细木棍去敲了敲，说实了实了。又隔了几天，他整个人走到台阶上去，把他的大脚板在每个部位都踩了踩，说全冻牢了。

于是，我们的家就搬进新屋里去。于是，父亲和我们就在新台阶上进进出出。搬进新屋的那天，我真想从台阶上面往下跳一遍，再从下往上跳一遍。然而，父亲叮嘱说："泥瓦匠交代，还没怎么大牢呢，小心些才是。"其实，我也不想跳。我已经是大人了。

"父亲老了。"此后所写的父亲与台阶的事情，似乎有些伤感。

岁月在不经意间流逝。

而父亲自己却熬不住，当天就坐在台阶上抽烟。他坐在最高的一级上。他抽了一筒，举起烟枪往台阶上磕烟灰，磕了一下，感觉手有些不对劲，便猛然愣住。他忽然醒悟，台阶是水泥抹的面，不经磕。于是，他就憋住了不磕。

正好那会儿有人从门口走过，见到父亲就打招呼说："晌午饭①吃过了吗？"父亲回答没吃过。其实他是吃过了，父亲不知怎么就回答错了。第二次他再坐台阶上时就比上次低了一级，他总觉得坐太高了和人打招呼有些不自在。然而，低了一级他还是不自在，便一级级地往下挪，挪到最低一级，他又觉得太低了，干脆就坐到门槛上去。但门槛是母亲的位置。农村里有这么个风俗，大庭广众之下，夫妇俩从不合坐一条板凳。

有一天，父亲挑了一担水回来，噔噔噔，很轻松地跨上了三级台阶，到第四级时，他的脚抬得很高，仿佛是在跨一道门槛，踩下去的时候像是被什么东西硌了一硌，他停顿了一下，才提后脚。那根很老的毛竹扁担受了震动，便"嘎叽"地惨叫了一声，父亲身子晃一晃，水便泼了一些在台阶上。我连忙去抢父亲的担子，他却很粗暴地一把推开我："不要你凑热闹，我连一担水都挑不——动吗！"我只好让在一边，看父亲把水挑进厨房里去。厨房里又传出一声扁担沉重的叫声，我和母亲都惊了惊，但我们都尽力保持平静。等父亲从厨房出来，他那张古铜色的脸很像一块青石板。父亲说他的腰闪了，要母亲为他治治。母亲懂土方，用根针放火上烧一烧，在父亲闪腰的部位刺九个洞，每个洞都刺出鲜红的血，然后拿出舀米的竹筒，点个火在筒内过一下，啪一声拍

造好的新台阶为什么会让父亲如此"不自在"？

---

① 〔晌（shǎng）午饭〕方言，午饭。

在那九个血孔上。第二天早晨，母亲拔下了那个竹筒，于是，从父亲的腰里流出好大一摊污黑的血。

这以后，我就不敢再让父亲挑水。挑水由我包了。父亲闲着没什么事可干，又觉得很烦躁。以前他可以在青石台阶上坐几个小时，自那次腰闪了之后，似乎失去了这个兴趣，也不愿找别人聊聊，也很少跨出我们家的台阶。偶尔出去一趟，回来时，一副若有所失的模样。

我就陪父亲在门槛上休息一会儿，他那颗很倔的头颅埋在膝盖里半晌都没动，那极短的发，似刚收割过的庄稼茬①，高低不齐，灰白而失去了生机。

好久之后，父亲又像问自己又像是问我："这人怎么了？"

似问非问，心情复杂。

怎么了呢，父亲老了。

⌀ 阅读提示

　　小说用第一人称叙述了"我"父亲与台阶的故事。对父亲来说，台阶既是他的物质期待，更是他的精神追求。当父亲用汗水和辛劳终于砌成了向往已久的台阶后，他却又处处感到"不自在"，感到从未有过的空虚和寂寞。你是怎样看待"父亲"这一人物形象的？应该如何理解这篇小说的主题？

　　小说围绕父亲和台阶，有许多生动传神的细节描写。如写父亲不辞辛劳地去砍柴，"一个冬天下来，破草鞋堆得超过了台阶"；又如放鞭炮后，"父亲明明该高兴，却露出些尴尬的笑"。除此之外，再找出两三处，结合上下文加以分析品味，然后尝试着用一两句话进行点评。

---

① 〔茬（chá）〕农作物收割后留在地里的茎和根。

啃		蹦		撬		磕			门	槛		厚	道		糟	糕
醒	悟		晌	午		烦	躁		头	颅		自	言	自	语	
言	外	之	意		微	不	足	道		大	庭	广	众			

叹词和拟声词

"唉""哎""嗨""喂""嗯""哎呀""哎哟",这些词在口语中很常见,表达感叹、呼唤、应答等,称为"叹词"。

叹词一般都是单用,独立成句或做独立成分,强化情感的表达。例如:

(1)啊!海滩上,居然有这么多人在乘凉。(表示感叹)

(2)唉,总要把学习拖到明天,这正是阿尔萨斯人最大的不幸。(表示感叹)

(3)哎呀,美极了!真是美极了!(表示感叹)

(4)喂,你听见了没有?(表示呼唤)

(5)"嗯,我们听了非常高兴。"两个织工齐声说。(表示应答)

拟声词是模拟事物声音的词。如下面句中加点的词:

(1)花下成千成百的蜜蜂嗡嗡地闹着,大小的蝴蝶飞来飞去。(朱自清《春》)

(2)只听见钢笔在纸上沙沙地响。(都德《最后一课》)

(3)那根很老的毛竹扁担受了震动,便"嘎叽"地惨叫了一声,父亲身子晃一晃,水便泼了一些在台阶上。(李森祥《台阶》)

12　卖油翁①

欧阳修

预习

◎ 先不看注释读一遍课文，看看你能读懂多少，把不懂的语句画出来。

◎ 参考注释重读课文，画出文中描写人物行为、动作的词语，体会文言文特有的简洁风格。

　　陈康肃公②善射③，当世无双，公亦以此自矜④。尝射于家圃⑤，有卖油翁释担⑥而立，睨⑦之久而不去。见其发矢十中八九，但微颔之⑧。

　　康肃问曰："汝亦知射乎？吾射不亦精乎？"翁曰："无他⑨，但手熟尔⑩。"康肃忿然⑪曰："尔安⑫敢轻吾射⑬！"翁曰："以我酌油知之⑭。"乃取一葫芦置于地，以钱覆⑮其口，徐⑯以杓⑰酌油沥之⑱，自钱孔入，而钱不湿。因曰："我亦无他，惟手熟尔。"康肃笑而遣之⑲。

---

① 选自《归田录》卷一（中华书局1981年版）。有删节。题目是编者加的。欧阳修（1007—1072），字永叔，号醉翁，晚号六一居士，谥号文忠，吉州永丰（今属江西）人，北宋政治家、文学家，唐宋八大家之一。

② 〔陈康肃公〕即陈尧咨，字嘉谟，谥号康肃，阆（làng）州阆中（今属四川）人，北宋官员。公，对男子的尊称。

③ 〔善射〕擅长射箭。

④ 〔自矜（jīn）〕自夸。

⑤ 〔圃（pǔ）〕园子。

⑥ 〔释担〕放下担子。释，放下。

⑦ 〔睨（nì）〕斜着眼看，这里形容不在意的样子。

⑧ 〔但微颔（hàn）之〕只是对此微微点头（意思是略微表示赞许）。但，只。颔，点头。之，指陈尧咨射箭十中八九这一情况。

⑨ 〔无他〕没有别的（奥妙）。

⑩ 〔但手熟尔〕只是手法技艺熟练罢了。熟，熟练。尔，同"耳"，相当于"罢了"。

⑪ 〔忿（fèn）然〕气愤的样子。然，表示"……的样子"。

⑫ 〔安〕怎么。

⑬ 〔轻吾射〕轻视我射箭的本领。轻，轻视。

⑭ 〔以我酌（zhuó）油知之〕凭我倒油（的经验）知道这个（道理）。以，凭、靠。酌，舀取，这里指倒入。之，指射箭是凭手熟的道理。

⑮ 〔覆〕盖。

⑯ 〔徐〕慢慢地。

⑰ 〔杓〕同"勺"。

⑱ 〔沥之〕滴入（葫芦）。沥，下滴。之，指油。

⑲ 〔遣之〕让他走。遣，打发。

思考探究

一　复述课文，尽量做到既贴近原文，又生动形象。

二　文中哪些词语表现了卖油翁对陈尧咨箭术的态度？哪些语句表现了陈尧咨的傲慢无礼？

积累拓展

三　解释下列句中加点的词。

1. 公亦以此自矜。

2. 见其发矢十中八九，但微颔之。

3. 尔安敢轻吾射！

4. 康肃笑而遣之。

四　有人认为，从这个故事可以读出弦外之音：宋朝有重文轻武的风气。但是有人可能会问：高超的箭法真的能等同于往壶里灌油吗？好箭法真的只是"手熟"而已吗？再读课文，谈谈你的看法。你是否觉得阅读时的"质疑"也很有意思？

抓住细节

细节描写是对人物、景物、事件等表现对象的细微刻画，往往能起到以小见大、画龙点睛的作用。比如《阿长与〈山海经〉》中，阿长把"山海经"叫作"三哼经"，就是这样一个没有什么文化的保姆，却惦念着"我"喜欢的书，细节虽小，却给读者留下深刻的印象。

想一想学过的课文或读过的书中，有哪些细节描写让你印象深刻。试着写出一两个，不用很长的文字，几句话就可以。

《阿长与〈山海经〉》中，作者只说阿长在床中间摆成一个"大"字，就活灵活现地写出了她令人"讨厌"的睡姿。

同学们在写作时，也要学会抓住细节，具体来说要注意以下几点。

一、真实。真实的细节是对生活细致观察的结果，如《老王》中对老王来送香油和鸡蛋时的细节描写（"直僵僵地镶嵌在门框里"，"简直像棺材里倒出来的"），可能会令人觉得害怕，不过写出了作者当时那种真切的感觉，让人难忘。

二、典型。细节贵在精而不在多，要善于抓住最能反映人物性格特征的细节来写。如《台阶》中父亲洗脚、踩黄泥等细节描写，都很好地表现了父亲的勤劳能干。

三、生动。细节描写用语要生动、简洁，让读者如见其人，如睹其物，如临其境。《卖油翁》中写卖油翁观看陈尧咨射箭的表情和动作，只用了"睨之"和"但微颔之"两个语句，就惟妙惟肖地表现出人物的态度和心理。

写作实践

一　读一读前两个单元写的作文，看看是否做到了抓住细节进行描写。根据下面的提示，做出修改。

　　　　提示：

　　　　1. 修改时，注意写一些能表现人物的外貌、语言、动作或心理特点的细节。

　　　　2. 带上自己的情感。比如赞赏或厌烦某个人，可以在用词或者语气上有所体现，也可以直接写自己的评价。

　　　　3. 将修改后的作文和原文对比着读一下，体会修改后的优点。

二　我们的记忆中总会有许多难忘的时刻。所谓难忘，可能是惊喜、兴奋、有趣，也可能是惭愧、尴尬，甚至是难堪。回忆一个自己难忘的时刻，并以《_____的那一刻》为题，写一篇作文。不少于500字。

　　　　提示：

　　　　1. 横线上填入的词语，应指发生在短暂时间内的令你难忘的事情，比如"冲过终点线""走上领奖台"……

　　　　2. 回忆那一刻的细节或场面，再现当时的情景要尽量写得具体，还要写出当时的感觉。

三　照片记录了生活的瞬间，也记载了生命中的故事。从家里找一张你喜欢的照片，以《照片里的故事》为题，写一篇作文。不少于500字。

　　　　提示：

　　　　1. 可以回顾一下七年级上册学过的《学会记事》，叙述故事时应条理清楚。

　　　　2. 注意联系照片拍摄的时间、地点、背景，对拍照时的细节做出生动具体的描写。

　　　　3. 有条件的班级，可以把大家选的照片和写的故事汇集起来，编辑成册。

《骆驼祥子》：圈点与批注

老舍十分熟悉作品所描写的各种人物，他用一种明畅朴素的叙述笔调，机智生动的北京口语，简洁有力地写出富有地方色彩的生活画面和具有性格特征的人物形象。在写实手法的运用和语言的凝练上，都取得了很大成功。

——王瑶

小说惊心动魄地写出了，恶魔般的社会环境怎样残酷地、一点一点地剥掉祥子的农民美德，将他的性格扭曲变形，直到把"树"一样执拗的祥子连根拔起，抛到城市流氓无产者的行列中。更足以显示作者现实主义艺术的深刻性的是，作者不只从社会环境，而且从这些人物自身发掘他们悲剧的原因，写出生活给予这些人物的限制。

——赵园

《骆驼祥子》是现代作家老舍的代表作，也是他最喜爱的作品之一。小说描写了一个普通人力车夫的一生，反映了一个有良知的作家对底层劳动人民生存状况的关注和同情。

老舍把祥子这样一个"小人物"写活了。祥子本是农村人，后来到城市谋生。来到北京后，他选择了当时城市底层老百姓常见的职业——拉洋车，想凭自己的力气挣饭吃。他老实，健壮，坚忍，最大的梦想不过是拥有一辆自己的洋车，自己能养活自己，不受车厂老板的盘剥。但在当时的社会条件下，他的希望一次又一次地破灭了，他与命运的抗争最终以惨败告终。到小说结尾，祥子已经放弃了自己的理想，从一个诚实可爱的青年变成了麻木、潦倒、狡猾、自暴自弃的行尸走肉。

小说还描写了祥子周围的人物，如残忍霸道的车主刘四、大胆泼辣又有点儿变态的虎妞、一步步走向毁灭的小福子、离死亡只差一步的老马和小马祖孙俩，还有抢车的大兵、不给仆人饭吃的杨太太、诈骗祥子的孙侦探等，展示了一幅具有老北京风情的世态图。

老舍是公认的语言大师。他创造性地运用北京市民的口语，"把顶平凡的话调动得生动有力"，给通俗朴素的文字又增添了"亲切、新鲜、恰当、活泼的味儿"，使人一读就能感受到小说的地方特色。

读书方法指导

圈点批注法是古人读书时常用的传统方法。这种读书方法可以凝聚阅读的注意力，便于复习、巩固、查考，也是一种治学的方式。宋代大学者朱熹，每读一遍书都用不同颜色的笔进行勾画，从而把思考引向精深境地。金圣叹对《水浒》的评点，毛宗岗对《三国演义》的评点，脂砚斋对《红楼梦》的评点，都是中国古典小说批评史上的经典。

运用圈点批注法，要注意以下几点。

一、圈点虽然是随手勾画，但勾画的内容应该是文章的重点、难点、疑点，或者是自己深有体会之处。

二、批注可以从作品的内容、结构、写作手法、语言特色等方面着手，或展开联想、想象，补充原文内容，或写出心得体会，提出自己的见解。

三、经典作品需要反复阅读，每次圈点批注可以有不同的侧重点。一般是循着由易到难的顺序进行的，从解决字词方面的疑问，到重点语句的理解，到全篇内容的把握。

四、可以给自己设定一些圈点和批注的符号。如用圆点或圆圈表示精警之处，用问号表示质疑，用叹号表示强调，用直线表示需要着重记忆或领会，用波浪线表示重要语句，用竖线或斜线表示段落层次的划分，等等。符号设定之后，每个人要养成固定使用的习惯，这样在整理读书笔记时才不至于凌乱。

下面是一个批注示例（《骆驼祥子》中的片段）。

地名他很熟习，即使有时候绕点儿远也没大关系，好在自己有的是力气。拉车的方法，以他干过的那些推、拉、扛、挑的经验来领会，也不算十分难。况且他有他的主意：多留神，少争胜，大概总不会出了毛病。至于讲价争座，他的嘴慢气盛，弄不过那些老油子们。知道这个短处，他干脆不大到"车口"上去；哪里没车，他放在哪里。在这僻静的地点，他可以从容地讲价，而且有时候不肯要价，只说声："坐上吧，瞧着给！"他的样子是那么诚实，脸上是那么简单可爱，人们好像只好信任他，不敢想这个傻大个子是会敲人的。即使人们疑心，也只能怀疑他是新到城里来的乡下佬儿，大概不认识路，所以讲不出价钱来。及至人们问到，"认识呀？"他就又像装傻，又像要俏地那么一笑，使人们不知怎样才好。

> 这是祥子的生意经。
> "嘴慢气盛"写祥子的性格，优劣分明。
>
> 语言简洁，憨态可掬。
> 祥子的相貌气质是他的保护色吗？
>
> 坐车人与拉车人，到底谁在揣摩对方上更胜一筹？

专题探究

全班共同阅读《骆驼祥子》，然后根据各自的兴趣选择专题，也可以另外选择专题，分小组进行探究。

专题一：给祥子写小传

本书以主人公祥子的奋斗和毁灭作为线索，可以说是祥子一生的记录。请根据作品的内容，写一篇祥子的小传，完整地勾勒出祥子的经历。写完后注意对照作品进一步修改，力求做到准确无误。

专题二：探寻悲剧原因

读完全书，祥子最终走向毁灭的命运悲剧无疑会给你强烈的震撼。到底是什么力量毁灭了这个曾经生气勃勃的人？悲剧的原因何在？带着思考精读一些章节，并查找资料，写下你的探究结果，然后和同学就此做一次深入的讨论。

专题三：话说"洋车夫"

书中除了祥子外，还写了形形色色的洋车夫，留下了关于老北京洋车夫这一行当的珍贵历史记录。请根据书中内容进行梳理，从职业特点、人员构成、生活状况等方面介绍洋车夫这个行当的情况。

专题四：品析"京味儿"

作品对老北京的人情风俗、市井生活、北京人独特的语言习惯等做了细致入微的描绘，阅读中你一定感受到了其中散发着的浓浓"京味儿"吧。请选择一个角度，摘抄一些片段，说说其中是如何体现这一特点的。

完成专题探究后，写一篇读书报告，并在班里举行读书交流会，共同分享阅读体验和探究成果。

精彩选篇

我们所要介绍的是祥子，不是骆驼，因为"骆驼"只是个外号；那么，我们就先说祥子，随手儿把骆驼与祥子那点儿关系说过去，也就算了。

北平的洋车夫有许多派：年轻力壮，腿脚灵利的，讲究赁漂亮的车，拉"整天儿"，爱什么时候出车与收车都有自由；拉出车来，在固定的"车口①"或宅门一放，专等坐快车的主儿；弄好了，也许一下子弄个一块两块的；碰巧了，也许白耗一天，连"车份儿"

---

① 〔车口〕停车处。

也没着落，但也不在乎。这一派哥儿们的希望大概有两个：或是拉包车；或是自己买上辆车，有了自己的车，再去拉包月或散座就没大关系了，反正车是自己的。

比这一派岁数稍大的，或因身体的关系而跑得稍差点儿劲的，或因家庭的关系而不敢白耗一天的，大概就多数的拉八成新的车；人与车都有相当的漂亮，所以在要价儿的时候也还能保持住相当的尊严。这派的车夫，也许拉"整天儿"，也许拉"半天儿"。在后者的情形下，因为还有相当的精气神，所以无论冬天夏天总是"拉晚儿①"。夜间，当然比白天需要更多的留神与本事；钱自然也多挣一些。

年纪在四十以上，二十以下的，恐怕就不易在前两派里有个地位了。他们的车破，又不敢"拉晚儿"，所以只能早早地出车，希望能从清晨转到午后三四点钟，拉出"车份儿"和自己的嚼谷②。他们的车破，跑得慢，所以得多走路，少要钱。到瓜市，果市，菜市，去拉货物，都是他们；钱少，可是无须快跑呢。

在这里，二十岁以下的——有的从十一二岁就干这行儿——很少能到二十岁以后改变成漂亮的车夫的，因为在幼年受了伤，很难健壮起来。他们也许拉一辈子洋车，而一辈子连拉车也没出过风头。那四十以上的人，有的是已拉了十年八年的车，筋肉的衰损使他们甘居人后，他们渐渐知道早晚是一个跟头会死在马路上。他们的拉车姿势，讲价时的随机应变，走路的抄近绕远，都足以使他们想起过去的光荣，而用鼻翅儿扇着那些后起之辈。可是这点儿光荣丝毫不能减少将来的黑暗，他们自己也因此在擦着汗的时节常常微叹。不过，以他们比较另一些四十上下岁的车夫，他们还似乎没有苦到了家。这一些是以前绝没想到自己能与洋车发生关系，而到了生和死的界限已经不甚分明，才抄起车把来的。被撤差的巡警或校役，把本钱吃光的小贩，或是失业的工匠，到了卖无可卖，当无可当的时候，咬着牙，含着泪，上了这条到死亡之路。这些人，生命最鲜壮的时期已经卖掉，现在再把窝窝头变成的血汗滴在马路上。没有力气，没有经验，没有朋友，就是在同行的当中也得不到好气儿。他们拉最破的车，皮带不定一天泄多少次气；一边拉着人还得一边央求人家原谅，虽然十五个大铜子儿已经算是甜买卖。

此外，因环境与知识的特异，又使一部分车夫另成派别。生于西苑海甸的自然以走西山，燕京，清华，较比方便；同样，在安定门外的走清河，北苑；在永定门外的走南苑……这是跑长趟的，不愿拉零座；因为拉一趟便是一趟，不屑于三五个铜子的穷凑了。可是他们还不如东交民巷的车夫的气儿长，这些专拉洋买卖的③讲究一气儿由东交民巷拉到玉泉山，颐和园或西山。气儿长也还算小事，一般车夫万不能争这项生意的原因，大半还是因为这些吃洋饭的有点儿与众不同的知识，他们会说外国话。英国兵，法国兵，所说的万寿山，雍和宫，"八大胡同"，他们都晓得。他们自己有一套外国话，不传授给别人。他们的跑法也特别，四六步儿不快不慢，低着头，目不旁视的，贴着马路边儿走，带出与世无争，而自有专长的神气。因为拉着洋人，他们可以不穿号坎，而一律的是长袖小白褂，白的或黑的裤子，裤筒特别肥，脚腕上系着细带；脚上是宽双脸千层底青布

---

① 〔拉晚儿〕指下午四点以后出车，拉到天亮以前。

② 〔嚼谷〕指吃用。

③ 〔专拉洋买卖的〕专做外国人生意的。从前外国驻华使馆都在东交民巷。

鞋；干净，利落，神气。一见这样的服装，别的车夫不会再过来争座与赛车，他们似乎是属于另一行业的。

有了这点儿简单的分析，我们再说祥子的地位，就像说——我们希望——一盘机器上的某种钉子那么准确了。祥子，在与"骆驼"这个外号发生关系以前，是个较比有自由的洋车夫，这就是说，他是属于年轻力壮，而且自己有车的那一类：自己的车，自己的生活，都在自己手里，高等车夫。

这可绝不是件容易的事。一年，两年，至少有三四年；一滴汗，两滴汗，不知道多少万滴汗，才挣出那辆车。从风里雨里的咬牙，从饭里茶里的自苦，才赚出那辆车，那辆车是他的一切挣扎与困苦的总结果与报酬，像身经百战的武士的一颗徽章。在他赁人家的车的时候，他从早到晚，由东到西，由南到北，像被人家抽着转的陀螺；他没有自己。可是在这种旋转之中，他的眼并没有花，心并没有乱，他老想着远远的一辆车，可以使他自由，独立，像自己的手脚的那么一辆车。有了自己的车，他可以不再受拴车的人们的气，也无须敷衍别人，有自己的力气与洋车，睁开眼就可以有饭吃。

他不怕吃苦，也没有一般洋车夫的可以原谅而不便效法的恶习，他的聪明和努力都足以使他的志愿成为事实。假若他的环境好一些，或多受着点儿教育，他一定不会落在"胶皮团①"里，而且无论是干什么，他总不会辜负了他的机会。不幸，他必须拉洋车；好，在这个营生里他也证明出他的能力与聪明。他仿佛就是在地狱里也能做个好鬼似的。生长在乡间，失去了父母与几亩薄田，十八岁的时候便跑到城里来。带着乡间小伙子的足壮与诚实，凡是以卖力气就能吃饭的事他几乎全做过了。可是，不久他就看出来，拉车是件更容易挣钱的事；做别的苦工，收入是有限的；拉车多着一些变化与机会，不知道在什么时候与地点就会遇到一些多于所希望的报酬。自然，他也晓得这样的机遇不完全出于偶然，而必须人与车都得漂亮精神，有货可卖才能遇到识货的人。想了一想，他相信自己有那个资格：他有力气，年纪正轻；所差的是他还没有跑过，与不敢一上手就拉漂亮的车。但这不是不能胜过的困难，有他的身体与力气做基础，他只要试验个十天半月的，就一定能跑得有个样子，然后去赁辆新车，说不定很快地就能拉上包车，然后省吃俭用一年两年，即使是三四年，他必能自己打上一辆车，顶漂亮的车！看着自己的青年的肌肉，他以为这只是时间的问题，这是必能达到的一个志愿与目的，绝不是梦想！

（节选自《骆驼祥子》，人民文学出版社2005年版）

自主阅读推荐

罗广斌、杨益言《红岩》

你知道"小萝卜头"吗？——那个在监狱里长大、面黄肌瘦、大脑袋细身子的小

---

① 〔胶皮团〕指拉车这一行。

家伙。他向往外边的自由世界，却被无情的铁栏杆束缚在牢房内，只能看到一角的天空。在艰苦的生活环境中，他以无瑕的心灵和对敌人的蔑视，感染着囹圄中的人们，最终却惨遭敌人的杀害。

如果想更多地了解小萝卜头的生活，就要读一下罗广斌、杨益言合著的长篇小说《红岩》。这部小说讲述了全国解放前夕，重庆地区的地下党人的英勇斗争故事，包括他们以《挺进报》为阵地，宣传革命思想；组织罢工、罢课，揭露黑暗，支持解放战争；保卫城市，粉碎反动派炸毁城市的图谋；等等。其中，集中笔墨描述了被捕的地下党人在渣滓洞、白公馆开展争取自由、反对压迫的革命斗争，刻画了一批意志坚定、形象高大的共产党人形象，如江姐、许云峰、余新江、齐晓轩、刘思扬等。

在这本书中，你可以看到地下工作者化装侦察、暗号接头、情报传递等现代谍战剧常有的情节，故事的传奇色彩与情节的跌宕起伏让人激动不已；可以看到英勇的共产党人面对刑讯威逼宁死不屈，面对金钱利诱毫不动心，他们的坚毅与自信、勇敢与冷静让人油然而生敬仰之心；还可以看到狱友们舍己为人，不计私利，互相支持，那种同志间的情谊让人备受感动；当然，也能看到叛徒和特务穷凶极恶却一筹莫展的丑态，其凶残狡诈、诡计多端和色厉内荏让人愤然鄙夷。读着这本书，品味着富有象征意味的环境描写，倾听着英雄们散发着理想光芒的话语，你是否想过：今天的我们，应该如何继承先烈的遗志？

柳青《创业史》

骆驼祥子希望通过自己诚实的劳动，创立新的生活，却最终被黑暗的社会吞噬；农民梁三也想凭着辛勤的劳动，创立属于自己的一份家业，收获的却是失败和屈辱，最终做了"一辈子生活的奴隶"；到了新社会，梁三老汉的儿子梁生宝带领互助组，团结一致，艰苦创业，克服重重困难，最终取得了成功。梁生宝为什么能取得成功？他的创业与骆驼祥子、梁三老汉的创业有什么不同？相信你读了《创业史》后，会找到答案。

《创业史》是小说家柳青的代表作品，讲述了以梁生宝为代表的新一代农民，告别老一辈单打独斗、创立家业的狭隘思维，坚持互助互帮，为建设农村合作社事业而奋斗的故事。小说展示的1950年代新中国建立初期农村合作化运动的历史风貌和农民思想情感的转变，今日读来仍令人感动。其思想主题——如何将分散的、孤立的个人组织为集体，在共同的劳动生活中获得作为生活主人的尊严——至今仍具有深刻的现实意义。作者原计划创作四部，最终写至第二部下卷第四章，这里推荐阅读第一部。

竹里馆① 　王　维

独坐幽篁②里，弹琴复长啸。
深林③人不知，明月来相照④。

　　这是唐代诗人王维晚年隐居时创作的一首五绝。诵读时想象一下，诗人在竹林里"独坐""弹琴""长啸"，内心的淡定与自然的幽静融合在一起。在这样一个清净的世界，没有尘世的喧嚣，没有名利的羁绊，精神可以彻底放松。虽然"人不知"，却有明月相伴，并不感到孤独。月华如水，涤荡胸怀，诗人在与自然对话、与天地精神往来的惬意中，充分感悟隐居生活的美好情趣。全诗用字造语、写景写人都平淡自然，仿佛信手拈来，就写出了清幽的氛围与淡泊的心态，达到"诗中有画"的高超境界。

① 选自《
　五（中
　作者曾
（wǎng）川居住，有《辋川集》组诗二十首，这是其中的第十七首。竹里馆，是辋川别墅二十景之一，应当是建在竹林里的屋舍。王维（约701—761），字摩诘，河东（治所在今山西永济西）人，祖籍太原祁县（今山西祁县），唐代诗人、画家。
② 〔幽篁（huáng）〕幽深的竹林。篁，竹林。
③ 〔深林〕这里指"幽篁"。
④ 〔相照〕与"独坐"相应，意思是说，独坐幽篁，无人相伴，唯有明月似解人意，来相映照。

春夜洛城闻笛⑤ 　李　白

谁家玉笛⑥暗飞声，散入春风满洛城。
此夜曲中闻折柳⑦，何人不起故园⑧情。

　　不知何人深夜吹笛，悠扬的笛声乘着春风散落全城。伤离惜别的曲调，勾起诗人无尽的乡思。由己及人，想到此时许多闻听笛声的游子，又有谁能不被唤起浓浓的思乡情！读时设身处地想象那种思乡的情景，感受全诗清新流畅、抑扬错落的韵味。

⑤ 选自《李白集校注》卷二十五（上海古籍出版社1980年版）。洛城，即洛阳。
⑥ 〔玉笛〕笛子的美称。
⑦ 〔折柳〕指《折杨柳》，汉代乐府曲名，内容多叙离别之情。
⑧ 〔故园〕故乡，家乡。

逢入京使[①] 岑 参

故园东望路漫漫[②]，双袖龙钟[③]泪不干。
马上相逢无纸笔，凭[④]君传语[⑤]报平安。

　　诗人在远赴边塞的途中，偶遇返京的使者，思乡之情奔涌而出，不可遏止。东望故园，长路漫漫，亲人远隔，怎能不让人泪雨滂沱！然而，诗人并没有过多沉浸在思乡的悲苦中，而是振作精神，安慰家人。这里不说旅途艰辛，不说回家无期，万千思念，尽在一声"传语"中。这首诗抓住一闪而过的生活片段，以平实的语言，抒写报国与亲情难以两全，以及思念亲人又不愿让亲人挂念的复杂情感，出语自然而又含蓄凝练。

晚 春[⑥] 韩 愈

草树知春不久归，百般红紫斗芳菲。
杨花榆荚无才思[⑦]，惟解[⑧]漫天作雪飞。

　　这是一首写暮春的诗。这时节百花盛开，万紫千红，花木像是知道春将归去，所以特别珍惜这最后的美好时光，争芳斗艳，尽情舒展生命的本色。连那些"无才思"的杨花榆荚，也都在纷纷飘落，如雪花般尽情飞舞。在诗人笔下，花草树木仿佛都有情思，有个性，成了精灵。面对即将离去的春天，无论是华丽的歌唱，还是朴实的表演，都会令人感动。诵读时想一想，诗人对"杨花榆荚"的揶揄，是不是更深层次的赞许呢？这首诗以拟人化的手法，轻灵的语言，从花草树木的角度写对春天的留恋，读起来饶有趣味。

① 选自《岑参集校注》卷二（上海古籍出版社1981年版）。唐天宝八载（749），作者赴任安西节度使幕府书记，这首诗写于赴任途中。入京使，回京城长安的使者。
② 〔漫漫〕路途遥远的样子。
③ 〔龙钟〕泪流纵横的样子。
④ 〔凭〕请求，烦劳。
⑤ 〔传语〕捎口信。
⑥ 选自《韩昌黎诗系年集释》卷九（上海古籍出版社1984年版）。这是作者《游城南十六首》组诗的第三首。韩愈（768—824），字退之，河阳（今河南孟州）人，自谓郡望昌黎，世称"韩昌黎"，唐代文学家、思想家、教育家，唐宋八大家之一。
⑦ 〔杨花榆荚（jiá）无才思〕意思是杨花榆荚不像别的花那样"百般红紫"，如同人之"无才思"。杨花，指柳絮。榆荚，指榆钱。才思，才气、才华。
⑧ 〔惟解〕只知道。

第四单元

本单元所选的文章，从不同角度展现了中华美德以及时代对这些美德的呼唤。阅读这些课文，可以陶冶情操，净化心灵，使人追求道德修养的更高境界。

本单元重点学习略读。通过精读了解某一类文章的特点后，就可以推而广之，去略读许多同类的文章。略读侧重观其大略，粗知文章的大意。略读时可以根据一定的目的或需要，确定阅读重点，其他部分的文字则可以快速阅读。另外，还要注意在阅读文章的基础上，对内容和表达有自己的心得。

13　叶圣陶先生二三事①

张中行

　　叶圣陶先生于1988年2月16日逝世。记得那是旧历丁卯年②除夕，晚上得知这消息，外面正响着鞭炮，万想不到这繁碎而响亮的声音也把他送走了，心里立即罩上双层的悲哀。

　　我第一次见到叶圣陶先生，是五十年代初，我编课本，他领导编课本。这之前，我当然知道他，那是上学时期，大量读新文学作品的时候。相识之后，交往渐多，感到过去的印象失之太浅，至少是没有触及最重要的方面——品德。《左传》③说不朽有三种，居第一位的是立德。在这方面，就我熟悉的一些前辈说，叶圣陶先生总当排在最前列。叶圣陶先生是单一的儒，思想是这样，行为也是这样。这有时使我想到《论语》上的话，一处是："躬行君子，则吾未之有得④。"一处是："学而不厌，诲人不倦，何有于我哉！"两处都是孔老夫子认为虽心向往之而力有未能的，可是叶圣陶先生却偏偏做到了。因此，

---

① 选自《读书》1990年第1期。有删改。叶圣陶（1894—1988），原名叶绍钧，江苏苏州人，作家、编辑家、教育家。代表作有长篇小说《倪焕之》、童话集《稻草人》等。张中行（1909—2006），河北香河河北屯（今属天津）人，学者、散文家。代表作有随笔集《负暄琐话》等。

② 〔丁卯（mǎo）年〕这是干支纪年法的表述。

③ 〔《左传》〕记载春秋历史的史学名著，儒家经典之一。相传为春秋末年左丘明所作，实际成书时间当在战国中期。

④ 〔躬行君子，则吾未之有得〕语出《论语·述而》。意思是，做一个身体力行的君子，那我还没有做到。

我常常跟别人说："叶老既是躬行君子，又能学而不厌，诲人不倦，所以确是人之师表。"

叶圣陶

凡是同叶圣陶先生有些交往的，无不为他的待人厚而深受感动。前些年，一次听吕叔湘①先生说，当年他在上海，有一天到叶先生屋里去，见叶先生伏案执笔改什么，走近一看，是描他的一篇文章的标点。这一次他受了教育，此后写文章，文字标点一定清清楚楚，不敢草率了事。我同叶圣陶先生文墨方面的交往，从共同修润②课本的文字开始。其时他刚到北方来，跟家乡人说苏州话，跟其他地方人说南腔北调话。可是他写文章坚决用普通话。他对普通话生疏，于是不耻下问，让我帮他修润。我出于对他的尊敬，想不直接动笔，只提一些商酌③性的意见。他说："不必客气。这样反而费事，还是直接改上。不限于语言，有什么不妥都改。千万不要慎重，怕改得不妥。我觉得不妥再改回来。"我遵嘱，不客气，这样做了。可是他却不放弃客气，比如有一两处他认为可以不动的，就一定亲自来，谦虚而恳切地问我，同意不同意恢复。我当然表示同意，并且说："您看怎么样好就怎么样，千万不要再跟我商量。"他说："好，就这样。"可是下次还是照样来商量，好像应该做主的是我，不是他。

文字之外，日常交往，他同样是一以贯之，宽厚待人。例如一些可以算作末节的事：有人到东四八条④他家去看他，告辞时，客人拦阻他远送，无论怎样说，他一定还是走过三道门，四道台阶，送到大门外。告别，他鞠躬，口说谢谢，看着来人上路才转身回去。他晚年的时候已经不能起床，记得有两次，我同一些人去问候，告辞时，他还举手打拱，不断地说谢谢。

还记得大概是七十年代中期某年的春天吧，我以临时户口的身份在妻女

---

①〔吕叔湘（1904—1998）〕江苏丹阳人，语言学家、语文教育家。

②〔修润〕修改润色。

③〔商酌〕商量斟酌。

④〔东四八条〕北京东城区的一条胡同，因在东四北大街东侧的多条胡同中排序第八而得名。

家中小住，抽空去看他。他家里人说，他很少出门，这一天有朋友来约，到天坛①看月季去了。我要了一张纸，留了几句话，其中说到乡居，说到来京，末尾写了住址，是西郊某大学的什么公寓。第二天就接到他的信。他说他非常悔恨，真不该到天坛去看花。他看我的地址是公寓，以为公寓必是旅店一类，想到我在京城工作这么多年，最后沦为住旅店，感到很悲伤。我看了信，也很悲伤，不是为自己的颠沛流离②，是想到十年来的社会现象，像叶圣陶先生这样的人竟越来越少了。

以上说待人厚，是叶圣陶先生为人的宽的一面。他还有严的一面，是律己，这包括正心修身和"己欲立而立人，己欲达而达人③"。我们在一起的时候，常常谈到写文章，他不止一次地说："写成文章，在这间房里念，要让那间房里的人听着，是说话，不是念稿，才算及了格。"他这个意见，不同的人会有不同的反应。譬如近些年来，有不少人是宣扬朦胧的，还有更多的人是顺势朦胧的，对于以简明如话为佳文的主张，就必付之一笑。而叶先生则主张写完文章后，可以自己试念试听，看像话不像话，不像话，坚决改。叶圣陶先生就是这样严格要求自己的，所以所作都是自己的写话风格，平易自然，鲜明简洁，细致恳切，念，顺口，听，悦耳，说像话还不够，就是话。

在文风方面，叶圣陶先生还特别重视"简洁"。简洁应该是写话之内的一项要求，这里提出来单独说说，是因为叶圣陶先生常常提到，有针对性。他是带着一些感慨说的："你写成文章，给人家看，人家给你删去一两个字，意思没变，就证明你不行。"关于繁简，关于修改，鲁迅提到的是字句段。叶圣陶先生只说字，我的体会，一是偏重用语，二是意在强调，精神是可简就绝不该繁。可是现实呢，常常是应简而偏偏要繁。举最微末的两个字为例。一个是"了"，如"我见到老师"，"他坐在前排"，简明自然，现在却几乎都要写"我见到了老师"，"他坐在了前排"，显得既累赘又别扭。另一个是"太"，如"吸烟不好"，"那个人我不认识"，也是简明自然，现在却几乎都要写"吸烟不太好"，"那个人我不太认识"，变得不只累赘，而且违理。像这样的废字，删去不只是意思没变，而且是变拖沓无理为简洁合理，可是竟然很少人肯删，也就无怪乎叶圣陶先生感慨系之了。

在我认识的一些前辈和同辈里，重视语文，努力求完美，并且以身作则，

---

① 〔天坛〕这里指北京的天坛公园。
② 〔颠沛流离〕生活艰难，四处流浪。
③ 〔己欲立而立人，己欲达而达人〕语出《论语·雍也》。意思是：自己要站得住，同时也要使别人站得住；自己要事事行得通，同时也要使别人事事行得通。

鞠躬尽瘁，叶圣陶先生应该说是第一位。上面说的是总的用语方面。零碎的，写作的各个方面，小至一个标点，以至抄稿的格式，他都同样认真，不做到完全妥帖决不放松。还记得五十年代早期，他发现课本用字，"做"和"作"分工不明，用哪一个，随写者的自由，于是出现这一处是"叫做"，那一处是"叫作"的现象。这不是对错问题，是体例不统一的问题。叶圣陶先生认为这也不应该，必须定个标准，要求全社出版物统一。商讨的结果，定为"行动"义用"做"，"充当"义用"作"，只有一些历史悠久的，如作文、自作自受之类仍旧贯。决定之后，叶圣陶先生监督执行，于是"做"和"作"就有了明确的分工。

叶圣陶先生，人，往矣，我常常想到他的业绩。凡是拿笔的人，尤其或有意或无意而写得不像话的人，都要常常想想叶圣陶先生的写话的主张，以及提出这种主张的深重的苦心。

❓ 思考探究

一 本文记叙的都是叶圣陶先生日常生活与工作中的小事，作者却给予极高的评价。找出文中评价性的语句，对照所记叙的事情，谈谈你的看法。

二 作者在第1段说"心里立即罩上双层的悲哀"，这"双层的悲哀"的含义是什么？文中还有类似这样含义丰富的语句，再找一些出来做品析。

三 叶圣陶先生说："写成文章，在这间房里念，要让那间房里的人听着，是说话，不是念稿，才算及了格。"怎样理解这种"写话"的主张？本文具有这样的"写话"风格吗？举例说说。

↻ 积累拓展

四 叶圣陶先生关于写文章要简洁的观点，对你有启发吗？拿出自己最近写过的作文，看看有没有累赘的地方，做些修改。

五 课外阅读吕叔湘的《怀念圣陶先生》，想一想：文中写了哪些事？从中你还看出叶圣陶先生哪些精神品质？

修	润		生	疏		商	酌		恳	切		譬	如		朦	胧
累	赘		别	扭		拖	沓		妥	帖		诲	人	不	倦	
不	耻	下	问		颠	沛	流	离		以	身	作	则		

助词（一）

助词是起辅助作用的词，不能单用，没有实在意义。助词分为结构助词、动态助词和语气助词。

结构助词主要有"的""地""得""所""似的"。例如：

（1）决定之后，叶圣陶先生监督执行，于是"做"和"作"就有了明确的分工。（张中行《叶圣陶先生二三事》）

（2）"哥儿，你牢牢记住！"她极其郑重地说。（鲁迅《阿长与〈山海经〉》）

（3）牛背上牧童的短笛，这时候也成天在嘹亮地响。（朱自清《春》）

（4）有一次，他撞在电杆上，撞得半面肿胀，又青又紫。（杨绛《老王》）

（5）我记不清是十个还是二十个，因为在我记忆里多得数不完。（杨绛《老王》）

"的""地"在连接前后词语时，前边的词语"明确""牧童""极其郑重""嘹亮"主要起修饰或限制作用；"得"则主要用在动词或形容词之后，表示它后面的成分起补充说明作用。

"所"用在一部分动词的前边，后边加"的"，组成一个名词性成分。如"所写的""所说的""所认识的""所面临的"等。

"似的"附着在词或短语的后边，相当于"像……一样"，用来做比喻，或者说明情况相似。例如：

我看见奔流似的马群，听见蒙古狗深夜的嗥鸣和皮鞭滚落在山涧里的脆响……（端木蕻良《土地的誓言》）

14 驿路梨花①

彭荆风

（手写批注：白色梨花开满枝头，多么美丽的一片梨树林啊.）

预习

◎ 课文的题目借用了南宋诗人陆游《闻武均州报已复西京》中的诗句，可以先找来这首诗读一读。

◎ 略读课文，注意这个故事写到了哪些人物，看看他们分别做了什么事。之后再细读课文，想一想"梨花"有什么象征意思。

山，好大的山啊！起伏的青山一座挨一座，延伸到远方，消失在迷茫的暮色中。

这是哀牢山②南段的最高处。这么陡峭的山，这么茂密的树林，走上一天，路上也难得遇见几个人。夕阳西下，我们有点儿着急了，今夜要是赶不到山那边的太阳寨，只有在这深山中露宿了。

同行老余是在边境地区生活过多年的人。正走着，他突然指着前面叫了起来："看，梨花！"

白色梨花开满枝头，多么美丽的一片梨树林啊！

老余说："这里有梨树，前边就会有人家。"

一弯新月升起了，我们借助淡淡的月光，在忽明忽暗的梨树林里走着。山间的夜风吹得人脸上凉凉的，梨花的白色花瓣轻轻飘落在我们身上。

"快看，有人家了。"

一座草顶、竹篾③泥墙的小屋出现在梨树林边。屋里漆黑，没有灯也没有人声。这是什么人的房子呢？

---

① 选自1977年11月27日《光明日报》。有改动。驿（yì）路，又叫"驿道"，古时传递政府文书等用的道路，沿途设有换马或休息的驿站。这里指过往行人所走的道路。

② 〔哀牢山〕山名，在云南省南部，元江和阿墨江的分水岭，云岭南延分支之一。

③ 〔竹篾（miè）〕劈成薄片的竹条。

老余打着电筒走过去，发现门是从外扣着的。白木门板上用黑炭写着两个字："请进！"

我们推开门进去。火塘①里的灰是冷的，显然，好多天没人住过了。一张简陋的大竹床铺着厚厚的稻草。倚在墙边的大竹筒里装满了水，我尝了一口，水清凉可口。我们走累了，决定在这里过夜。

老余用电筒在屋里上上下下扫射了一圈，又发现墙上写着几行粗大的字："屋后边有干柴，梁上竹筒里有米，有盐巴，有辣子。"

我们开始烧火做饭。温暖的火、喷香的米饭和滚热的洗脚水，把我们身上的疲劳、饥饿都撵走了。我们躺在软软的干草铺上，对小茅屋的主人有说不尽的感激。我问老余："你猜这家主人是干什么的？"老余说："可能是一位守山护林的老人。"

正说着，门被推开了。一个须眉花白的瑶族老人站在门前，手里提着一杆明火枪，肩上扛着一袋米。

"主人"回来了。我和老余同时抓住老人的手，抢着说感谢的话；老人眼睛瞪得大大的，几次想说话插不上嘴。直到我们不作声了，老人才笑道："我不是主人，也是过路人呢！"

我们把老人请到火塘前坐下，看他也是又累又饿，赶紧给他端来了热水、热饭。老人笑了笑："多谢，多谢，说了半天还得多谢你们。"

看来他是个很有穿山走林经验的人。吃完饭，他燃起一袋旱烟笑着说："我是给主人家送粮食来的。"

"主人家是谁？"

"不晓得。"

"粮食交给谁呢？"

"挂在屋梁上。"

"老人家，你真会开玩笑。"

他悠闲地吐着烟，说："我不是开玩笑。"停了一会儿，又接着说："我是红河②边上过山岩的瑶家，平常爱打猎。上个月，我追赶一群麂子③，在老林里东转西转迷失了方向，不知怎么插到这个山头来了。那时候，人走累了，干粮也吃完了，想找个寨子歇歇，偏偏这一带没有人家。我正失望的时候，突然

---

① 〔火塘〕室内地上挖的小坑，四周垒上砖石，中间生火取暖。

② 〔红河〕中南半岛大河，发源于云南省西部。

③ 〔麂（jǐ）子〕一种小型鹿类动物，腿细而有力，善于跳跃。

看到了这片梨花林和这小屋，屋里有柴、有米、有水，就是没有主人。吃了用了人家的东西，不说清楚还行？我只好撕了片头巾上的红布，插了根羽毛在门上，告诉主人，有个瑶家人来打扰了，过几天再来道谢……"

说到这里，他用手指了指门背后："你们看，那东西还在呢！"

一根白羽毛钉在红布上，红白相衬很好看。老人家说到这里，停了一会儿，又接着说下去："我到处打听小茅屋的主人是哪个，好不容易才从一个赶马人那里知道个大概，原来对门山头上有个名叫梨花的哈尼①小姑娘，她说这大山坡上，前不着村后不挨寨，她要用为人民服务的精神来帮助过路人。"

我们这才明白，屋里的米、水、干柴，以及那充满了热情的"请进"二字，都是出自那哈尼小姑娘的手。多好的梨花啊！

瑶族老人又说："过路人受到照料，都很感激，也都尽力把用了的柴、米补上，好让后来人方便。我这次是专门送粮食来的。"

这天夜里，我睡得十分香甜，梦中恍惚在那香气四溢的梨花林里漫步，还看见一个身穿着花衫的哈尼小姑娘在梨花丛中歌唱……

第二天早上，我们没有立即上路，老人也没有离开，我们决定把小茅屋修葺②一下，给屋顶加点儿草，把房前屋后的排水沟再挖深一些。一个哈尼小姑娘都能为群众着想，我们真应该向她学习。

我们正在劳动，突然梨树丛中闪出了一群哈尼小姑娘。走在前边的约莫十四五岁，红润的脸上有两道弯弯的修长的眉毛和一对晶莹的大眼睛。我

————————————

① 〔哈尼〕哈尼族，我国少数民族之一，主要居住在云南省红河哈尼族彝族自治州等几个州县。

② 〔修葺（qì）〕修理（建筑物）。葺，修理、修建。

想：她一定是梨花。

瑶族老人立即走到她们面前，深深弯下腰去，行了个大礼，吓得小姑娘们像小雀似的蹦开了，接着就哈哈大笑起来："老爷爷，你给我们行这样大的礼，不怕折损我们吗？"

老人严肃地说："我感谢你们盖了这间小草房。"

为头的那个小姑娘赶紧摇手："不要谢我们！不要谢我们！房子是解放军叔叔盖的。"

接着，小姑娘向我们讲述了房子的来历。十多年前，有一队解放军路过这里，在树林里过夜，半夜淋了大雨。他们想，这里要有一间给过路人避风雨的小屋就好了，第二天早上就砍树割草盖起了房子。她姐姐恰好过这边山上来拾菌子①，好奇地问解放军叔叔："你们要在这里长住？"解放军说："不，我们是为了方便过路人。是雷锋同志教我们这样做的。"她姐姐很受感动。从那以后，常常趁砍柴、拾菌子、找草药的机会来照料这小茅屋。

原来她还不是梨花。我问："梨花呢？"

"前几年出嫁到山那边了。"

不用说，姐姐出嫁后，是小姑娘接过任务，常来照管这小茅屋。

我望着这群充满朝气的哈尼小姑娘和那洁白的梨花，不由得想起了一句诗："驿路梨花处处开。"

思考探究

一　下面的人物分别与小茅屋有过什么故事？谁是小茅屋的主人呢？
　　"我"和老余　瑶族老人　一群哈尼小姑娘　解放军战士　梨花

二　本文构思巧妙，层层设置悬念和误会，使故事情节一波三折。结合课文内容分析这种写法，说说其表达效果。

三　"梨花"在文中多次出现，所指不尽相同，请找出来，解释各自的含义，并说说这几次出现对全篇结构的作用。再想一想，用"驿路梨花"做标题有什么妙处？

---

①〔菌（jùn）子〕俗称"蘑菇"。

四 这篇小说所写的朴实民风是否让你感动？读完后，你对"公德"这个概念有什么想法？联系现实，和同学讨论这个话题。

读读写写

寨	撵	扛	驿路	迷茫	陡峭	露宿
竹篾	简陋	悠闲	修葺	晶莹	折损	

助词（二）

动态助词包括"着""了""过"，附着在动词的后边，表示动作行为的状态。其中"着"表示动作、行为在进行或持续中，"了"表示已经完成或实现，"过"表示曾经发生过。例如：

（1）告别，他鞠躬，口说谢谢，看着来人上路才转身回去。（张中行《叶圣陶先生二三事》）

（2）吃了用了人家的东西，不说清楚还行？（彭荆风《驿路梨花》）

（3）记得她也曾告诉过我这个名称的来历……（鲁迅《阿长与〈山海经〉》）

语气助词主要包括"了""嘛""啦""吗""呢""吧""啊"等，放在句子末尾，表示陈述、疑问、祈使或感叹等语气。例如：

（1）他说，住那儿多年了。（杨绛《老王》）

（2）他哑着嗓子悄悄问我："你还有钱吗？"（杨绛《老王》）

（3）山，好大的山啊！（彭荆风《驿路梨花》）

15 最苦与最乐①

梁启超

以设问开头，引出"最苦的事"，使人思考。

人生什么事最苦呢？贫吗？不是。失意吗？不是。老吗？死吗？都不是。我说人生最苦的事，莫苦于身上背着一种未来的责任。

人若能知足，虽贫不苦；若能安分（不多做分外希望），虽失意不苦；老、病、死，乃人生难免的事，达观的人看得很平常，也不算什么苦。独是凡人在世间一天，便有一天应该做的事；该做的事没有做完，便像是有几千斤重担压在肩头，再苦是没有的了。为什么呢？因为受那良心责备不过，要逃躲也没处逃躲呀。

从具体的生活情境开始论述，有什么作用？

答应人办一件事没有办，欠了人的钱没有还，受了人的恩惠没有报答，得罪了人没有赔礼，这就连这个人的面也几乎不敢见他；纵然不见他的面，睡里梦里都像有他的影子来缠着我。为什么呢？因为觉得对不住他呀，因为自己对于他的责任还没有解除呀！不独是对于一个人如此，就是对于家庭，对于社会，对于国家，乃至对于自己，都是如此。凡属我应该做的事，而且力量能够做得到的，我对于这件事便有了责任。凡属我自己打主意要做一件事，便是现在的自己和将来的自己立了一种契约，便是自己对于自己加一层责任。有了这责任，那良心便时时刻刻监督在后头。一日应尽的责任没有尽，到夜里头便是过的苦痛日子。一生应尽的责任没有尽，便死也是带着痛苦往

---

① 选自《〈饮冰室合集〉集外文》（北京大学出版社2005年版）。梁启超（1873—1929），字卓如，号任公，别号饮冰室主人，广东新会人，思想家、学者。著作大多收入《饮冰室合集》。

坟墓里去。这种苦痛却比不得普通的贫、病、老，可以达观排解得开。所以我说，人生没有苦痛便罢；若有苦痛，当然没有比这个更加重的了。

翻过来看，什么事最快乐呢？自然责任完了，算是人生第一件乐事。古语说得好，"如释重负"；俗语亦说的是，"心上一块石头落了地"。人到这个时候，那种轻松愉快，真是不可以言语形容。责任越重大，负责的日子越久长，到责任完了时，海阔天空，心安理得，那种快乐还要加几倍哩！大抵天下事，从苦中得来的乐，才算是真乐。人生须知道负责任的苦处，才能知道有尽责任的乐处。这种苦乐循环，便是这有活力的人间一种趣味。不尽责任，受良心责备，这些苦都是自己找来的。一翻过来，处处尽责任，便处处快乐；时时尽责任，便时时快乐。快乐之权操之在己，孔子所以说"无入而不自得①"，正是这种作用。

紧承上文，引出"责任完了"是人生第一乐事。

然则为什么孟子又说"君子有终身之忧②"呢？因为越是圣贤豪杰，他负的责任便越是重大；而且他常要把种种责任来揽在身上，肩头的担子，从没有放下的时节。曾子还说哩："任重而道远，死而后已，不亦远乎③？"那仁人志士的忧民忧国，那诸圣诸佛的悲天悯人，虽说他是一辈子苦痛，也都可以。但是他日日在那里尽责任，便日日在那里得苦中真乐，所以他到底还是乐不是苦呀！

尽责方能得苦中真乐，照应题目。

有人说："既然这苦是从负责任生来，我若是将责任卸却，岂不就永远没有苦了吗？"这却不然，责任是要解除了才没有，并不是卸了就没有。

① 〔无入而不自得〕语出《礼记·中庸》。意思是，君子无论处在什么境遇都能保持安然自得。
② 〔君子有终身之忧〕语出《孟子·离娄下》。意思是，君子有终身的忧虑。
③ 〔任重而道远，死而后已，不亦远乎〕语出《论语·泰伯》。意思是，（士）肩负沉重的使命，要跋涉遥远的路途，到死方休，不是很遥远吗？

对于责任，"解除"或"卸却"，结果迥乎不同。

人生若能永远像两三岁小孩，本来没有责任，那就本来没有苦。到了长成，那责任自然压在你头上，如何能躲？不过有大小的分别罢了。尽得大的责任，就得大快乐；尽得小的责任，就得小快乐。你若是要躲，倒是自投苦海，永远不能解除了。

阅读提示

　　每个人都因所处立场和价值观不同，对什么是苦、什么是乐有着自己的认识。本文提出负责任是人生最大的苦，尽责任是人生最大的乐，可谓别出心裁而又洞察幽微。"责任"一词重如泰山，或甘之如饴，或畏之如虎，趋避之间，最能折射一个人的价值取向与品格修养。作者对责任与苦乐关系的辩证认识，体现了他的智慧和旷达，启迪我们直面人生，勇担责任，并从中获得超越小我的大快乐。读完文章想一想：你的责任是什么？你从尽责中体会到快乐了吗？

　　阅读时，注意把握本文严谨的思路，领会那种平实而又略带书卷气的语言风格。

读读写写

| 揽 | | 失意 | | 达观 | | 契约 | | 监督 | | 排解 | |
| 循环 | | 如释重负 | | | 海阔天空 | | | 悲天悯人 | | | |

16 短文两篇

预 习

◎ "铭"和"说"都是文言文的一种文体。查找资料，说出几篇属于这两种文体的文言作品。

◎ 认真阅读课文，参考注释或工具书，试着自己解决疑难问题。

陋室铭①

刘禹锡

己背

　　山不在高，有仙则名②。水不在深，有龙则灵③。斯是陋室，惟吾德馨④。苔痕上阶绿，草色入帘青⑤。谈笑有鸿儒⑥，往来无白丁⑦。可以调素琴⑧，阅金经⑨。无丝竹之乱耳⑩，无案牍之劳形⑪。南阳诸葛庐⑫，西蜀子云亭⑬。孔子云：何陋之有⑭？

---

① 选自《刘禹锡集》（中华书局1990年版）。陋室，简陋的屋子。铭，古代刻在器物上用来警诫自己或者称述功德的文字，后来成为一种文体。
② 〔名〕出名，有名。
③ 〔灵〕灵验。
④ 〔斯是陋室，惟吾德馨（xīn）〕这是简陋的屋舍，只因我（住屋的人）的品德好（就不感到简陋了）。斯，这。馨，能散布很远的香气，这里指德行美好。
⑤ 〔苔痕上阶绿，草色入帘青〕苔痕长到阶上，使台阶都绿了；草色映入竹帘，使室内染上了青色。
⑥ 〔鸿儒〕博学的人。鸿，大。
⑦ 〔白丁〕平民，指没有功名的人。

⑧ 〔调素琴〕弹琴。调，调弄。素琴，不加装饰的琴。
⑨ 〔金经〕指佛经（佛经用泥金书写）。
⑩ 〔无丝竹之乱耳〕没有世俗的乐曲扰乱心境。丝，指弦乐器。竹，指管乐器。
⑪ 〔无案牍（dú）之劳形〕没有官府公文劳神伤身。案牍，指官府文书。形，形体、躯体。
⑫ 〔南阳诸葛庐〕诸葛亮隐居南阳住的草庐。
⑬ 〔西蜀子云亭〕扬子云在西蜀的屋舍。西蜀，今四川。子云，即扬雄（前53—18），字子云，蜀郡成都（今属四川）人，西汉哲学家、文学家。
⑭ 〔何陋之有〕语出《论语·子罕》。意思是，有什么简陋的呢？

爱莲说①

周敦颐

水陆草木之花，可爱者甚蕃②。晋陶渊明③独④爱菊。自李唐⑤来，世人甚爱牡丹。予独爱莲之出淤泥⑥而不染⑦，濯清涟而不妖⑧，中通外直⑨，不蔓不枝⑩，香远益清⑪，亭亭净植⑫，可远观而不可亵玩⑬焉⑭。

予谓菊，花之隐逸⑮者也；牡丹，花之富贵者也；莲，花之君子者也。噫⑯！菊之爱，陶后鲜⑰有闻。莲之爱，同予者何人⑱？牡丹之爱，宜乎众矣⑲。

思考探究

一　朗读课文，说说这两篇文章在语言风格上有什么不同。

二　《陋室铭》结尾引用孔子的话"何陋之有"，有什么深意？与同学交流一下，在物质生活日益丰富的今天，应该如何看待作者所说的"惟吾德馨"？

三　《爱莲说》称莲为"花之君子"，根据课文内容，说说作者心目中的君子

---

① 选自《周敦颐集》卷三（中华书局2009年版）。周敦颐（1017—1073），字茂叔，道州营道（今湖南道县）人，北宋哲学家。著有《太极图说》《通书》等。

② 〔蕃（fán）〕多。

③ 〔陶渊明（365—427）〕一名潜，字元亮，浔（xún）阳柴桑（今江西九江附近）人，东晋诗人。

④ 〔独〕只。

⑤ 〔李唐〕指唐朝。唐朝的皇帝姓李，所以称为"李唐"。

⑥ 〔淤（yū）泥〕河沟、池塘里积存的污泥。

⑦ 〔染〕沾染（污秽）。

⑧ 〔濯（zhuó）清涟（lián）而不妖〕经过清水洗涤但不显得妖艳。濯，洗。涟，水波。妖，过分艳丽。

⑨ 〔中通外直〕这里描写的是莲的茎。

⑩ 〔不蔓不枝〕不横生藤蔓，不旁生枝茎。蔓、枝，都是名词用作动词。

⑪ 〔香远益清〕香气传得越远就越清幽。益，更加。

⑫ 〔亭亭净植〕洁净地挺立。亭亭，耸立的样子。植，竖立。

⑬ 〔亵（xiè）玩〕靠近玩弄。亵，亲近而不庄重。

⑭ 〔焉〕语气词。

⑮ 〔隐逸〕隐居避世。这里是说菊花不与别的花争奇斗艳。

⑯ 〔噫（yī）〕叹词，表示感慨。

⑰ 〔鲜（xiǎn）〕少。

⑱ 〔同予者何人〕像我一样的还有什么人呢？

⑲ 〔宜乎众矣〕人应当很多了。宜，应当。

具备哪些美好品质。和同学讨论一下，如何理解"出淤泥而不染"的人生境界？

积累拓展

四　背诵并默写这两篇短文。

五　"之"有时充当代词；有时相当于助词"的"；有时用于标明前置宾语；有时用在主语和谓语之间，取消句子独立性。辨析下列句子中的"之"字各属于哪种用法。

1. 何陋之有？
2. 水陆草木之花，可爱者甚蕃。
3. 予独爱莲之出淤泥而不染……
4. 友人惭，下车引之。
5. 知之者不如好之者，好之者不如乐之者。

赵孟頫书《陋室铭》

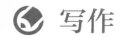

怎样选材

　　写作的材料源自生活。我们日常所接触到的各类人物，遇到的各种事情，都可以成为写作时的直接材料；而读过的书籍、文章等，还可以为我们提供一些间接材料。当然，在所有材料中，最重要的还是自己的亲身经历。因为，我们对它的感受最直接、最真切，写起来能得心应手。

　　生活中的材料很多，要学会围绕中心进行选择。同学们在写作中经常出现的毛病是，没有明确的中心，想到哪里写到哪里，从头到尾像一本"流水账"。文章的中心决定了材料的取舍以及详略的安排：跟中心无关的，舍弃不取；跟中心相关的也要分清主次，选取其中最有利于表现中心的材料作为重点展开，其他可以略写。游离中心选用材料，或材料使用详略不当，都会影响中心的表达。

　　请根据《阿长与〈山海经〉》的内容，思考下面的材料与中心关系的密切程度，以及作者相应的详略安排是否合适。

中心	材料
阿长不无愚昧、可笑之处，但她对"我"的无私关怀，让"我"永远感念	阿长名字的由来
	阿长喜欢切切察察
	阿长睡觉摆"大"字
	阿长正月初一早晨让"我"吃福橘
	阿长讲"长毛"的故事
	阿长为"我"买《山海经》

　　此外，还要注意材料的真实和新颖。真实，是指选择的材料应该是自己亲历的事情，而不是道听途说或无中生有编造出来的。不要总以为自己的生活很单调，没什么可写，要善于从生活中发掘有意义的材料，为自己所用。新颖，是指新而别致，与众不同，不落俗套。新颖的材料应该是别人未使用过的，或者虽然已经有人用过，但自己又有新的感悟和体验。如果只是拾人牙慧，搬用老一套的事例、言论等来拼凑应付，写出来的文章必然缺少新意，也不会打动他人。

写作实践

一 如果围绕你熟悉的某条街道写篇作文，你准备表达什么中心？选择哪些能反映街道特点的材料？仔细思考，写出你准备表达的中心，列出需要选用的材料，并注明详略安排。

提示：

1. 可以为你熟悉的街道做素描，要注意选取能反映街道特点（幽静、热闹、环境优美、有地方特色等）的事物作为材料，如街道的环境、两旁的建筑、街上的行人等。

2. 也可以记叙在这条街道上发生的事，记事时要写出街道的特色，展现事情发生的环境，这样才不会跑题。

二 你们班一定有不少"牛人"吧？他们或是"读书迷"，知识丰富；或是"演说家"，善于表达；或是"大管家"，热心集体事务；或许还有体育健将、乐器高手、智力超人……以《晒晒我们班的"牛人"》为题，写一篇作文。不少于500字。

提示：

1. 可以只写一位"牛人"，选取最能表现其"牛"的材料，突出其特点；如果这个人很多方面都"牛"，就要注意分清主次、详略，合理安排。也可以写几位"牛人"，每人只写一件事，但要突出他们各自不同的特点。

2. 语言可以诙谐、幽默一些，甚至带点儿调侃的味道，这样会增加文章的趣味性。

三 你记录过自己一天的生活吗？在这一天中，哪些经历是你独有或者令你感触最深的？以《我的一天》为题，写一篇作文。不少于500字。

提示：

1. 可以写具有特殊意义的一天，围绕"特殊"选择恰当的材料，注意材料的新颖；也可以写平平常常的一天，但要写出生活的特点以及你对平凡生活的独特感受，选择的材料应真实、可信。

2. 要突出重点，不能让材料游离中心，或把文章写成流水账。为了便于把握，可以先列出提纲。

3. 可以运用多种表现手法，着力展现需要突出的部分；与要展现的生活特点没有紧密关系的部分，可以用概括式的描述。

综合性学习

孝亲敬老，从我做起

"孝"是中华民族的传统美德。《诗经·小雅·蓼莪》说："父兮生我，母兮鞠我。拊我畜我，长我育我，顾我复我，出入腹我。欲报之德，昊天罔极。"意思是父母生我养我，拉扯我长大，呵护备至，我想好好报答，但上天无情，想要报答父母也没有机会了！父母养育子女，并不求回报；作为子女的我们，则要充满感恩之心，孝敬父母。如果更进一步，"老吾老以及人之老"，将孝敬双亲的心，扩大到敬爱所有的长辈，则是一种更为可贵的品德。让我们从现在做起，体谅父母，关心父母，孝敬父母，并敬爱老人。

阅读后面的资料，参照提示，全班策划、组织一次"孝亲敬老月"活动。

一、征集活动方案

参考"资料一"，分小组制订一个"孝亲敬老月"活动方案，提交班级讨论。方案要包含活动目标、活动时间、日程安排和人员分工等内容。力求内容新颖，形式多样，操作性强。方案要围绕一个具体主题展开，可以用一句凝练的口号概括这个主题。各小组提交方案后，召开班级专题讨论会。大家畅所欲言，发表意见，丰富、完善该方案。

> 积极参与讨论，大胆发表自己的看法，与大家一起交流。
> 为避免发言时重复啰唆，可以先打好腹稿，或简单写下自己的发言要点。
> 认真倾听别人的发言，可以边听边记下别人讲话的重点或对自己有启发的内容。

二、分工合作，组织活动

根据拟定的活动方案，分工合作，组织一次"孝亲敬老月"活动。可参考"资料二"，制作宣传海报，海报要突出活动特色和班级特点。邀请别班同学参加本班活动。活动实施阶段，要注意分工明确，各司其职。

三、分享体会与感受

通过活动，你对"孝亲敬老"是不是有了新的理解和认识？古往今来的孝亲故事是不是也触动了你心底对于父母的感恩之情？结合"资料三""资料四"，写一篇文章，谈谈你对此次"孝亲敬老"活动的感受和思考。题目自拟，字数不限。

资料夹

资料一："孝亲敬老月"活动计划

一、活动目标

1. 了解中国传统的孝文化，继承和发扬中华民族孝亲敬老的优良传统。

2. 积极参加孝亲敬老活动，培养心存感恩、孝敬父母、回报社会的美好品德。

3. 学习制作活动计划、海报，提高表达自己观点的能力。

二、活动主题

孝亲敬老，从我做起。

三、活动步骤

（一）宣传动员

1. 利用国旗下的讲话时间，向全校师生宣读《孝亲敬老活动倡议书》，号召全校同学开展孝亲敬老活动。

2. 以"孝亲敬老，从我做起"为主题，布置宣传栏、黑板报，悬挂感恩主题条幅或制作"孝亲敬老月"活动海报，积极宣传，营造校园孝亲感恩的氛围。

3. 各班召开主题班会，讨论"孝"的内涵，呼吁同学们"孝亲敬老，从我做起"。

（二）活动实施

1. 小组搜集孝亲故事或相关名言警句，利用各种形式进行展示。

2. 开展"亲情作文"征文活动，组织评比。参考题目：《写给父母的话》《爸爸妈妈，我爱你们》《今天，我为爸爸做顿饭》《妈妈，您辛苦了》。

3. 布置"爱心家庭作业"。回家为父母或其他长辈做一些力所能及的孝亲之事，例如：送父母几句温馨的祝福，给爷爷奶奶讲一个开心的故事，帮长辈做家务，支持长辈的爱好，等等。

4. 邀请语文老师或校外专家学者、作家名人做有关"中国孝文化"主题的报告。

5. 到敬老院开展慰问活动。

6. 活动结束后，各小组搜集素材，分别制作一期关于"孝亲敬老"活动的手抄报。

资料二："孝亲敬老月"活动海报

感受亲情 孝亲敬老

我们被浓浓的爱包围却无所知……

我们习惯了被爱而不会爱人……

让我们唤醒心灵，感受亲情，尊敬长者，就从现在开始！

听——成长的声音：听父母谈孕育生命、抚养子女的艰辛与快乐，了解自己成长过程中的故事。

看——岁月的痕迹：找出父母年轻时和近期的生活照，从对比中触摸岁月的痕迹。

忆——关爱的点滴：回忆生活中长辈对自己点点滴滴的关爱，用心体会，心怀感激。

做——真情的回报：为家庭做一件事，感受父母的辛劳；与家人聊一次天，增进长幼间的情感；给长辈送一份祝福，表达美好的心意。

资料三：古籍中关于"孝"的论述

孝，善事父母者。从老省，从子，子承老也。（《说文解字·老部》）

孟武伯问孝。子曰："父母唯其疾之忧。"（《论语·为政》）

子游问孝。子曰："今之孝者，是谓能养。至于犬马，皆能有养；不敬，何以别乎？"（《论语·为政》）

孝子之至，莫大乎尊亲。（《孟子·万章上》）

孝子之有深爱者必有和气，有和气者必有愉色，有愉色者必有婉容。（《礼记·祭义》）

事其亲者，不择地而安之，孝之至也。（《庄子·人间世》）

资料四：网络上流传的一组孝心漫画

资料夹

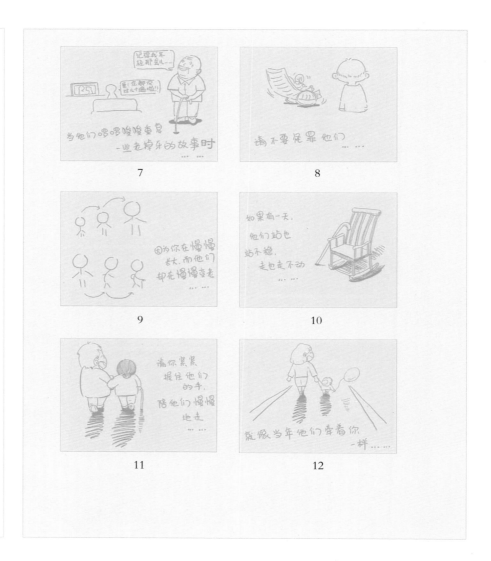

第五单元

王国维在《人间词话》中说："以我观物，故物皆着我之色彩。"诗文中描写的景物往往浸透着作者的情感，所以我们能够在山川溪泉中听见回荡的心声，在花草树木间发现人生的影子。这个单元的课文或借景抒情，或托物言志，字里行间闪烁着哲理的光彩，带给我们许多启迪。

本单元学习托物言志的手法：体会如何运用生动形象的语言写景状物，寄寓自己的情思，抒发对社会人生的感悟。建议运用比较的方法阅读，分析作品之间的相同或不同之处，以拓展视野，加深理解。

17　紫藤萝瀑布①

宗　璞

预习

　　◎　看到题目，你会想到什么景物？先不读课文，尽量去想象，试着把自己脑子里形成的画面，用三五句话"定格"下来。

　　◎　阅读课文，看看有哪些描写引起了你的共鸣，并和自己读课文之前的想象比较，去感受那种"美的发现"。

　　我不由得停住了脚步。

　　从未见过开得这样盛的藤萝，只见一片辉煌的淡紫色，像一条瀑布，从空中垂下，不见其发端，也不见其终极②。只是深深浅浅的紫，仿佛在流动，在欢笑，在不停地生长。紫色的大条幅上，泛着点点银光，就像迸溅的水花。仔细看时，才知道那是每一朵紫花中的最浅淡的部分，在和阳光互相挑逗。

　　这里春红已谢，没有赏花的人群，也没有蜂围蝶阵。有的就是这一树闪光的、盛开的藤萝。花朵儿一串挨着一串，一朵接着一朵，彼此推着挤着，好不活泼热闹！

　　"我在开花！"它们在笑。

　　"我在开花！"它们嚷嚷。

　　每一穗花都是上面的盛开，下面的待放。颜色便上浅下深，好像那紫色沉淀下来了，沉淀在最嫩最小的花苞里。每一朵盛开的花就像是一个小小的张满了的帆，帆下带着尖底的舱。船舱鼓鼓的，又像一个忍俊不禁③的笑容，就要绽开似的。那里装的是什么仙露琼浆？我凑上去，想摘一朵。

　　但是我没有摘。我没有摘花的习惯。我只是伫立凝望，觉得这一条紫藤萝瀑布不只在我眼前，也在我心上缓缓流过。流着流着，它带走了这些时一直

---

①　选自《铁箫人语》（春风文艺出版社1994年版）。　③〔忍俊不禁（jīn）〕忍不住笑。
②〔终极〕终点。

压在我心上的关于生死的疑惑，关于疾病的痛楚。我浸在这繁密的花朵的光辉中，别的一切暂时都不存在，有的只是精神的宁静和生的喜悦。

这里除了光彩，还有淡淡的芳香，香气似乎也是浅紫色的，梦幻一般轻轻地笼罩着我。忽然记起十多年前家门外也曾有过一大株紫藤萝，它依傍一株枯槐爬得很高，但花朵从来都稀落，东一穗西一串伶仃地挂在树梢，好像在察言观色，试探什么。后来索性连那稀零的花串也没有了。园中别的紫藤花架也都拆掉，改种了果树。那时的说法是，花和生活腐化有什么必然关系。我曾遗憾地想：这里再也看不见藤萝花了。

过了这么多年，藤萝又开花了，而且开得这样盛，这样密，紫色的瀑布遮住了粗壮的盘虬卧龙般的枝干，不断地流着，流着，流向人的心底。

花和人都会遇到各种各样的不幸，但是生命的长河是无止境的。我抚摸了一下那小小的紫色的花舱，那里满装生命的酒酿，它张满了帆，在这闪光的花的河流上航行。它是万花中的一朵，也正是一朵一朵花，组成了万花灿烂的流动的瀑布。

在这浅紫色的光辉和浅紫色的芳香中，我不觉加快了脚步。

1982年5月6日

思考探究

一 作者不仅描写了眼前的紫藤萝，还回忆起过去的紫藤萝。这两者有什么不同？从开头"不由得停住了脚步"，到结尾又"不觉加快了脚步"，你感受到作者的情感有了怎样的变化？

二 根据括号中的提示，揣摩下面的语句，体会写景状物的妙处。

1. 每一朵盛开的花就像是一个小小的张满了的帆，帆下带着尖底的舱。船舱鼓鼓的，又像一个忍俊不禁的笑容，就要绽开似的。（化静为动）

2. 这里除了光彩，还有淡淡的芳香，香气似乎也是浅紫色的，梦幻一般轻轻地笼罩着我。（多感官互通）

3. 紫色的瀑布遮住了粗壮的盘虬卧龙般的枝干，不断地流着，流着，流向人的心底。（物我交融）

三 结合自己的经历或见闻，谈谈你对"花和人都会遇到各种各样的不幸，但是生命的长河是无止境的"这句话的理解。

四 作者借用紫藤萝来暗示自己的情思，于是紫藤萝就有了某种寓意，成为作者志趣意愿的寄托。在上个单元学习的课文中，是不是也有使用这种托物言志写法的文章？和同学讨论交流。

五 宗璞有不少写景状物的散文，如《丁香结》《燕园树寻》《好一朵木槿花》等，课外找来读一读并进行比较，看看这些作品有什么共同的特点。

我没有摘花的习惯，我只是伫立凝望，觉得这条紫藤萝瀑布不只在我眼前，也在我心上缓缓流过。

读读写写

瀑布	迸溅	挑逗	凝望	繁密	笼罩
枯槐	遗憾	忍俊不禁	仙露琼浆		

并列短语

个子高　　深受感动　　淡淡的芳香
垮下来　　重视语文　　谦虚而恳切

这些都是词和词组合起来构成的短语（也称"词组"）。

从结构上说，短语主要包括：并列短语、偏正短语、主谓短语、动宾短语和补充短语。

并列短语由两个或两个以上的名词、代词、动词或形容词组成，词和词之间是并列关系，一般没有轻重主次之分。有的直接组合，有的则靠连词组合在一起。例如：

报纸杂志　　雄伟壮丽　　改革开放　　油盐酱醋
你与他　　　土地和杂草　热烈而粗犷　表扬与鼓励

18　一棵小桃树^①

贾平凹

　　我常常想要给我的小桃树写点文章，但却终没有写就一个字来。是我太爱怜它吗？是我爱怜得无所谓了吗？我也不知道是什么怪缘故，只是常常自个儿忏悔，自个儿安慰，说："我是该给它写点什么了呢。"

　　今天的黄昏，雨下得这般大，使我也有些吃惊了。早晨起来，就淅淅沥沥的，我还高兴地说："春雨贵如油，今年来得这么早！"一边让雨湿着我的头发，一边吟些杜甫的"随风潜入夜，润物细无声"，甚至想去田野悠悠地踏青呢。那雨却下得大了，全不是春的温柔，一直下了一个整天。我深深闭了柴门，伫窗坐下，看我的小桃树在风雨里哆嗦。纤纤的生灵，枝条已经慌乱，桃花一片一片地落了，大半陷在泥里，三点两点地在黄水里打着旋儿。啊，它已经老了许多呢，瘦了许多呢，昨日楚楚的容颜全然褪尽了。可怜它年纪太小了，可怜它才开了第一次花儿！我再也不忍看了，我千般万般地无奈何。唉，往日多么傲慢的我，多么矜持的我，原来也是个孱头^②。

　　好多年前的秋天了，我们还是孩子。奶奶从集市上回来，带给了我们一人一个桃子，她说："都吃下去吧，这是'仙桃'；含着桃核做一个梦，谁梦见桃花开了，就会幸福一生呢。"我们都认真起来，全含了桃核爬上床去。我却无论如何不能安睡，想这甜甜的梦是做不成了，又不甘心不做，

寻常的情景，不寻常的情感。

---

①　选自《平凹散文》（浙江文艺出版社2008年版）。　　②〔孱（càn）头〕软弱无能的人。

就爬起来，将桃核埋在院子角落的土里，想让它在那儿蓄着我的梦。

秋天过去了，又过了一个冬天，孩子自有孩子的快活，我竟将它忘却了。那个春天的早晨，奶奶打扫院子，突然发现角落的地方，拱出一点嫩绿儿，便叫道："这是什么呀？"我才恍然记起了是它：它竟从土里长出来了！它长得很委屈，是弯了头，紧抱着身子的。第二天才舒开身来，瘦瘦的，黄黄的，似乎一碰，便立即会断了去。大家都笑话它，奶奶也说："这种桃树是没出息的，多好的种子，长出来，却都是野的，结些毛果子，须得嫁接才成。"我却不大相信，执着地偏要它将来开花结果哩。

因为它长得太不是地方，谁也再不理会，惹人费神的倒是那些盆景儿了。爷爷是喜欢服侍花的，在我们的屋里、院里、门道里，摆满了各种各样的花草。春天花事一盛，远近的人都来赞赏，爷爷便每天一早喊我们从屋里一盆一盆端出来，天一晚又让我们一盆一盆端进去；却从来不想到我的小桃树。它却默默地长上来了。

它长得很慢，一个春天，才长上二尺来高，样子也极猥琐①。但我却十分地高兴了：它是我的，它是我的梦种儿长的。我想我的姐姐弟弟，或许已经早忘却了，他们那含着桃核做下的梦，但我的桃树却使我每天能看见它。我说，我的梦是绿色的，将来开了花，我会幸福呢。

课文中一些描写反复出现，比如多次描写小桃树"没出息"。散文中这类地方，往往寄托着深意，要仔细体会。

————————————————

① 〔猥（wěi）琐〕（容貌、举动）庸俗不大方。

也就在这年里，我到城里上学去了。走出了山，来到城里，我才知道我的渺小；山外的天地这般大，城里的好景这般多。我从此也有了血气方刚的魂魄，学习呀，奋斗呀，一毕业就走上了社会，要轰轰烈烈地干一番我的事业了；那家乡的土院，那土院里的小桃树便再没有去想了。

但是，我慢慢发现我的幼稚，我的天真了，人世原来有人世的大书，我却连第一行文字还读不懂呢。我渐渐地大了，脾性也一天一天地坏了，常常一个人坐着发呆，心境似乎是垂垂暮老①了。这时候，奶奶也去世了，真是祸不单行②。我连夜从城里回到老家去，家里人等我不及，奶奶已经下葬了。看着满屋的混乱，想着奶奶往日的容颜，不觉眼泪流了下来，对着灵堂哭了一场。天黑的时候，在窗下坐着，一抬头，却看见我的小桃树了；它竟然还在长着，弯弯的身子，努力撑着的枝条，已经有院墙高了。这些年来，它是怎么长上来的呢？爷爷的花事早不弄了，一摞③一摞的花盆堆在墙根，它却长着！弟弟说："那桃树被猪拱折过一次，要不早就开花了。"他们曾嫌它长得不是地方，又不好看，想砍掉它，奶奶却不同意，常常护着给它浇水。啊，小桃树，我怎么将你遗在这里，而身漂异乡，又漠漠忘却了呢？看着桃树，想起没能再见一面的奶奶，我深深懊丧对不起我的奶奶，对不起我的小桃树了。

如今，它开了花，虽然长得弱小，骨朵儿也不见繁，一夜之间，花竟全开了呢。我曾去看过终南山④下的夹竹桃花，也去领略过马嵬坡⑤前的

是什么使"我"遗忘了小桃树？

①〔垂垂暮老〕形容渐渐衰老的状态。垂垂，渐渐。暮，（时间）将尽、晚。
②〔祸不单行〕表示不幸的事接连发生。
③〔摞（luò）〕量词，用于重叠放置的东西。
④〔终南山〕秦岭山脉的一段，在陕西西安南。
⑤〔马嵬（wéi）坡〕地名，在陕西兴平西。

"蓄着我的梦"的桃核长成了树，而且真的开了花。作者仅仅在写花吗？

蜜水桃花，那花儿开得火灼灼①的，可我的小桃树，一颗"仙桃"的种子，却开得太白了，太淡了，那瓣片儿单薄得似纸做的，没有肉的感觉，没有粉的感觉，像是患了重病的少女，苍白白的脸，又偏苦涩涩地笑着。我忍不住几分忧伤，泪珠儿又要下来了。

花幸好并没有立即谢去。就那么一树，孤孤地开在墙角。我每每看着它，却发现从未有一只蜜蜂去恋过它，一只蝴蝶去飞过它。可怜的小桃树！

我不禁有些颤抖了：这花儿莫不就是我当年要做的梦的精灵吗？

雨却这么大地下着，花瓣儿纷纷零落去。我只说有了这场春雨，花儿会开得更艳，香味会蓄得更浓，谁知它却这么命薄，受不得这么大的福分，受不得这么多的洗礼，片片付给风了，雨了！我心里喊着我的奶奶。

"我"的情感在这里来了一个转折，你读出来了吗？

雨还在下着，我的小桃树千百次地俯下身去，又千百次地挣扎起来，一树的桃花，一片，一片，湿得深重，像一只天鹅，羽毛渐渐剥脱，变得赤裸的了，黑枯的了。然而，就在那俯地的刹那，我突然看见那树的顶端，高高的一枝儿上，竟还保留着一个欲绽的花苞，嫩黄的，嫩红的，在风中摇着，抖着满身的雨水，几次要掉下来了，但却没有掉下去，像风浪里航道上的指示灯，闪着时隐时现的嫩黄的光，嫩红的光。

我心里稍稍有些安慰了。啊，小桃树啊！我该怎么感激你？你到底还有一朵花呢，明日一早，你会开吗？你开的是灼灼的吗？香香的吗？我亲

①〔灼灼〕形容明亮的样子。这里用来形容桃花繁盛明丽的样子。《诗经·桃夭》里有"桃之夭夭，灼灼其华"的句子。

爱的，你那花是会开得美的，而且会孕出一个桃
儿来的；我还叫你是我的梦的精灵，对吗？

⌀ 阅读提示

同学们不妨数一数，作者在这篇散文里，一共用了多少次"我的小桃树"
这一称呼？作者为什么如此执着地用这个称呼？因为在他看来，这株"野"
的、"没出息"的、不美的小桃树，与自己有着特殊的情感联系。这深厚的情
感从何而来呢？文章中叙述了小桃树的"身世"，同时暗写了作者自己的经
历。原来，在作者看来，小桃树是他从儿时便怀有的、向往幸福生活的"梦"
的化身——"我的小桃树"就是另一个"我"。因此，无论是他对小桃树的来
由、发芽、长大、开花以至横遭风雨的叙述，还是各处的具体描写（例如写
桃树在风雨里"哆嗦""挣扎"，写花儿"又偏苦涩涩地笑着"），都饱含着深
沉的感慨和寄托，文章也就真情洋溢，感人至深。读完课文，想一想：本文与
《紫藤萝瀑布》在写法上有什么相同和不同之处？

☰ 读读写写

褪			忏	悔		哆	嗦		矜	持		执	着		服	侍
猥	琐		渺	小		魂	魄		幼	稚		颤	抖		赤	裸
血	气	方	刚		轰	轰	烈	烈		祸	不	单	行

19　外国诗二首

假如生活欺骗了你①

普希金

普希金

假如生活欺骗了你，
不要悲伤，不要心急！
忧郁的日子里须要镇静：
相信吧，快乐的日子将会来临。

心儿永远向往着未来；
现在却常是忧郁：
一切都是瞬息，一切都将会过去；
而那过去了的，就会成为亲切的怀恋。

"要对生活充满
无限的热爱和与
期待。"

未选择的路②

弗罗斯特

弗罗斯特

黄色的树林里分出两条路，
可惜我不能同时去涉足，
我在那路口久久伫立，
我向着一条路极目望去，
直到它消失在丛林深处。

---

① 选自《普希金诗集》（北京出版社1987年版）。
戈宝权译。普希金（1799—1837），俄国诗
人。代表诗作有《自由颂》《致恰达耶夫》
《致大海》等。他的创作对俄国文学和语言的

发展影响很大。
② 选自《中外哲理诗精选》（浙江文艺出版社
1987年版）。顾子欣译。略有改动。弗罗斯特
（1874—1963），美国诗人。

但我却选了另外一条路，
它荒草萋萋^①，十分幽寂，
显得更诱人，更美丽；
虽然在这条小路上，
很少留下旅人的足迹。

那天清晨落叶满地，
两条路都未经脚印污染。
啊，留下一条路等改日再见！
但我知道路径延绵无尽头，
恐怕我难以再回返。

也许多少年后在某个地方，
我将轻声叹息将往事回顾：
一片树林里分出两条路——
而我选择了人迹更少的一条，
从此决定了我一生的道路。

"既然选择，就别后悔。"

⊘ 阅读提示

　　《假如生活欺骗了你》以劝说的口吻、和缓的语气鼓励人们相信生活，相信未来。这首诗自问世后被广为传诵，其中的诗句还成为许多人的座右铭。《未选择的路》借自然界的路表达对人生之路的思考，尤其是对"未选择的路"的感慨，读来耐人寻味。

　　两首诗写的都是对人生的思考，前者直抒胸臆，没有什么具体的形象，后者则用了许多具体的形象（比如树林、路、荒草、落叶等）来阐释哲理。这两种写法，你喜欢哪一种？在这两首诗中选择你喜欢的一首背诵。

---

① 〔萋（qī）萋〕形容草长得茂盛的样子。

瞬息　怀恋　涉足　萋萋　幽寂

偏正短语

我们学了结构助词"的"和"地"，由它们连接起来的短语就属于偏正短语。你能从下边的例子中看出偏正短语的特点吗？

它的声音　　这样的地方　　精神的宁静　　最小的花苞

好奇地问　　不断地流着　　默默地生长　　千百次地挣扎

第一组短语由"的"连接，"的"后边的名词是中心语，前边的代词、名词、形容词等是定语：这是定中关系的偏正短语。第二组短语由"地"连接，"地"后边的动词（有时是形容词）是中心语，前边的形容词、数量词等是状语：这是状中关系的偏正短语。

也有不用"的"或"地"连接的定中或状中关系的偏正短语，例如：

一泓泉水　　外国朋友　　生日礼物　　第一场春雨

很委屈　　　更加坚强　　完全相信　　热烈欢迎

20 古代诗歌五首

预习

◎ 围绕古诗查找相关资料，了解诗人生平及诗歌的创作背景。

◎ 有感情地诵读古诗，注意节奏和韵律，体会诗人表达的情感。

登幽州台歌①

陈子昂

前不见古人，后不见来者。
念天地之悠悠②，独怆然③而涕④下！

① 选自《陈子昂集》（中华书局1960年版）。幽州台，即蓟（jì）北楼，是战国时燕昭王为招纳天下贤士所建，故址在今北京西南。陈子昂（661—702），字伯玉，梓（zǐ）州射洪（今属四川）人，唐代文学家。
② 〔悠悠〕形容时间的久远和空间的广大。
③ 〔怆（chuàng）然〕悲伤的样子。
④ 〔涕（tì）〕眼泪。

刘旦宅画

望 岳①

杜 甫

岱宗②夫如何？齐鲁青未了③。
造化钟神秀④，阴阳割昏晓⑤。
荡胸生曾云⑥，决眦入归鸟⑦。
会当⑧凌绝顶⑨，一览众山小。

登飞来峰⑩

王安石

飞来山上千寻⑪塔，闻说鸡鸣见日升。
不畏浮云遮望眼，自缘⑫身在最高层。

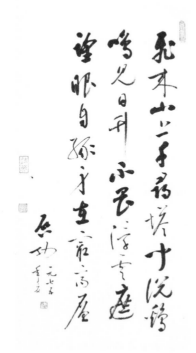

启功书《登飞来峰》

① 选自《杜诗详注》卷一（中华书局1979年版）。唐玄宗开元二十四年（736），杜甫曾在齐、赵（今山东、河北一带）漫游，故有此作。
② 〔岱宗〕指泰山。
③ 〔齐鲁青未了（liǎo）〕泰山横跨齐鲁，青色的峰峦连绵不断。齐鲁，春秋时的两个诸侯国，在今山东一带。泰山以北为齐国，泰山以南为鲁国。青，指山色。未了，不尽。
④ 〔造化钟神秀〕大自然将神奇和秀丽集中于泰山。造化，指天地、大自然。钟，聚集。
⑤ 〔阴阳割昏晓〕山的南北两面，一面明亮一面昏暗，截然不同。阴阳，古人以山北水南为阴，山南水北为阳。割，分。
⑥ 〔荡胸生曾云〕层云生起，使心胸震荡。曾，同"层"。
⑦ 〔决眦（zì）入归鸟〕张大眼睛远望飞鸟归林。眦，眼眶。
⑧ 〔会当〕终当，终要。
⑨ 〔凌绝顶〕登上泰山的顶峰。凌，登上。

⑩ 选自《王荆文公诗笺注》卷四十八（上海古籍出版社2010年版）。飞来峰，即浙江绍兴城外的宝林山，唐宋时其上有应天塔，故又俗称"塔山"，古代传说此山自琅琊郡东武（今山东诸城）飞来。王安石（1021—1086），字介甫，号半山，江西临川（今江西抚州）人，北宋政治家、文学家、思想家，唐宋八大家之一。
⑪ 〔寻〕古代长度单位。八尺（一说七尺）为一寻。
⑫ 〔缘〕因为。

游山西村①　已背

陆　游

莫笑农家腊酒浑②，丰年留客足鸡豚③。
山重水复疑无路，柳暗花明又一村。
箫鼓追随春社近④，衣冠简朴古风存。
从今若许闲乘月⑤，拄杖无时⑥夜叩门。

己亥杂诗（其五）⑦

龚自珍

浩荡离愁白日斜，吟鞭⑧东指即天涯。
落红⑨不是无情物，化作春泥更护花。

① 选自《剑南诗稿校注》卷一（上海古籍出版社1985年版）。
② 〔腊酒浑〕腊月所酿的酒，称为"腊酒"。浑，浑浊。酒以清为贵。
③ 〔足鸡豚（tún）〕指菜肴丰足。豚，小猪，这里指猪肉。
④ 〔箫鼓追随春社近〕将近社日，村里忙着迎神赛会，一路上迎神的箫鼓声随处可闻。古代立春后第五个戊日为春社日，祭社公（土地神），祈求丰收。
⑤ 〔闲乘月〕趁着月明来闲游。
⑥ 〔无时〕没有固定的时间，即随时。

⑦ 选自《龚自珍全集》第十辑（上海古籍出版社1999年版）。清道光十九年（1839）是己亥年，这一年诗人辞官离京返回杭州，后又北上迎接眷属，往返途中共写成七绝315首，总题为《己亥杂诗》。这是第五首。龚自珍（1792—1841），字璱（sè）人，号定盦（ān），浙江仁和（今杭州）人，清代思想家、文学家。
⑧ 〔吟鞭〕诗人的马鞭。吟，指吟诗。
⑨ 〔落红〕落花。后两句诗言外之意是说，自己虽然辞官，但仍会关心国家的前途和命运。

❓ 思考探究

一　反复诵读《登幽州台歌》，静下心来，设身处地想象自己在古代，是那样寂寞地独自登台远望，瞬间感到天地无穷，人生有限。试试看，你能否进入并体会诗歌的意境？是否理解诗人为何"独怆然而涕下"？

二　你有过登山的经历吗？当你登高纵目，与云朵、飞鸟、山峦融为一体时，也许就会心气清朗，油然产生类似《望岳》与《登飞来峰》所写的那种感觉。反复诵读这两首诗，体会两首诗结尾两句的含义。

三　古诗文中某些名句往往被后人反复引用，并衍生出新的意义。请解释下列诗句在原作中的意思，以及后来衍生的意义。

1. 会当凌绝顶，一览众山小。

2. 不畏浮云遮望眼，自缘身在最高层。

3. 山重水复疑无路，柳暗花明又一村。

4. 落红不是无情物，化作春泥更护花。

积累拓展

四　背诵这五首诗歌，并用楷书默写下来。

五　在写作中，引用诗句可以增加文采，增强感染力。不妨自备笔记本，摘抄
积累诗文名句，以备写作中引用。

主谓短语

太阳升　　　老师讲课　　　小明进门　　　大家唱歌

桃花红　　　心情好　　　她聪明　　　我们高兴

这两组短语都是先出现一个被陈述的对象，然后陈述这个对象的动作行为、
性质特征等，都属于主谓短语。

主谓短语中，被陈述的对象是主语，主要由名词和代词充当；用来陈述的是
谓语，主要由动词和形容词充当。

文从字顺

　　文从字顺是写作的基本要求，指的是语言表达清楚明白准确，行文通顺流畅。读一读下面这句话，你觉得通顺吗？

> "妈妈"，最简单的称呼，可是又不简单，简单之中包含最亲切、最有磁性的东西；"母爱"，最不平凡的爱，可是又平凡，平凡之中包含最伟大、最无私的东西。

> 应是"最平凡的爱，可是又不平凡"，这样才能和上下文衔接通顺。

　　文从字顺是写作的一项基本功，需要我们在写作中反复磨炼，不断提高。那么，要做到文从字顺，需要注意些什么呢？

　　首先，语句表达要准确，避免因为用词产生歧义。比如"三个学校的领导"，就不如"三所学校的领导"或"学校的三位领导"表达那么清楚。

　　其次，要注意语句间的连贯。前后句子在意义上要有比较明确的关联，文意的承接转折要合乎事理，让人容易理解。下笔前，最好先有个提纲或打好腹稿；下笔时，应当一气呵成，避免断断续续；叙述的人称或角度也不要随意变来变去，以免令人感到混乱。例如："新学期开始了，班委会进行换届选举。很多同学提议继续由张燕任班长，理由是她学习成绩好，同学们都很喜欢她，她和其他班干部配合得很好，刻苦勤奋，待人热情，也有丰富的工作经验，踏实肯干。"这一段在陈述理由时，语序混乱，缺乏条理，东一榔头西一棒槌，妨碍理解。

　　最后，写完后要自己读一读，或请别人来读一读。凡是读起来拗口、含混、不顺畅的，就应修改。累赘的词语要删除，搭配不当的要更换，语序不顺的要调整，这样改出来的文章才会文从字顺。

写作实践

一　选择你喜欢的景或物，写一个片段。想好再下笔，注意语句的连贯、顺畅。不少于200字。

提示：

1. 注意观察景或物的特别之处，如形状、色彩等。

2. 可以借鉴《紫藤萝瀑布》和《一棵小桃树》描写景物的方法。

二　在第一题的基础上，自主立意，自拟题目，将写景或状物的片段扩展为一篇借景抒情或托物言志的作文。不少于500字。

提示：

1. 扩展写作时，可以借鉴课文的写法，想好写哪几个方面，写出景物什么样的特点。

2. 想好表达怎样的思想感情。没有包含思想感情的"纯写景"文字是难以打动别人的。

3. 多改两遍，力求做到文从字顺。

三　古往今来，月亮一直是人们吟咏的对象，寄托了人们无尽的情思。月亮曾引起你怎样的遐想？请以《月亮》为题，写一篇作文。不少于500字。

提示：

1. 写作前，可以查阅一些描写月亮的诗文。想一想：为什么那么多文人喜欢写月亮？月亮寄托了人们的哪些情感？这些情感寄托在别的事物上行不行？

2. 在查阅和思考的基础上，选择一个新颖的角度，写出你对月亮的感受。

3. 写完后读一遍，认真修改润饰，做到文从字顺，抒情自然。

　　一篇文章怎样才算得"通"？"词"使用得适合，"篇章"组织得调顺，便是"通"。反过来，"词"使用得乖谬，"篇章"组织得错乱，便是"不通"。从一般人讲，只用这么平淡的两句话就够了。这样的"通"没有骄傲的文人所说的那样博大高深，所以是不论何人都可能达到的，并且是必须达到的。

——叶圣陶

第六单元

探险，是人类对未知世界的探寻，也是对自身的挑战。探险过程中的任何艰难险阻，都抑制不住人类探索未知世界的激情，阻挡不了人类迈向全新领域的脚步。而科学幻想，依据科学技术的原理、发展趋势以及科学假说，展示了人类对未来的大胆想象。本单元主要选取探险与科幻方面的文章，希望你能从中触摸到探险者的精神世界，并激发出探索自然世界和科学领域的兴趣与想象力。

本单元重点学习浏览。浏览时，可以一目数行地扫视文段，迅速提取字里行间的主要信息。另外，还要在阅读文章的基础上，有所思考和质疑。

21　伟大的悲剧①

茨威格

茨威格

预习

◎　快速浏览课文。本文约4 000字，请尽可能在10分钟内读完。浏览时，随手画出文章里的时间、地点等重要信息，还要特别留意每段的首句，这样有助于把握主要内容。

◎　浏览时，哪些段落打动了你？再读这些段落，体会其中展现出的精神力量。

　　1912年1月16日这一天，斯科特一行清晨启程，出发得比平时更早，为的是能早一点看到无比美丽的秘密。焦急的心情把他们早早地从自己的睡袋中拽②了出来。到中午，这五个坚持不懈的人已走了14公里。他们热情高涨地行走在荒无人迹的白色雪原上，因为现在再也不可能达不到目的地了，为人类所做的决定性的业绩几乎已经完成。可是突然之间，伙伴之一的鲍尔斯变得不安起来。他的眼睛紧紧盯着无垠雪地上的一个小小的黑点。他不敢把自己的猜想说出来：可能已经有人在这里树立了一个路标。但现在其他的人也都可怕地想到了这一点。他们的心在战栗，只不过还想尽量安慰自己罢了——就像鲁滨逊在荒岛上发现陌生人的脚印时竭力想把它看作是自己的脚印一样③。其实，他们心中早已明白：以阿蒙森为首的挪威人已在他们之先到过这里了。

　　没过多久，他们发现雪地上插着一根滑雪杆，上面绑着一面黑旗，周围是

---

① 节选自《夺取南极的斗争》（《人类的群星闪耀时》，生活·读书·新知三联书店1986年版）。舒昌善译。有改动。题目是编者加的。茨威格（1881—1942），奥地利作家。代表作有小说《象棋的故事》、传记《三位大师》等。

② 〔拽（zhuài）〕拉。

③ 〔就像……一样〕这是英国小说家笛福（1660—1731）的长篇小说《鲁滨逊漂流记》中的一个情节。

他人扎过营地的残迹——滑雪板的痕迹和许多狗的足迹。在这严酷的事实面前也就不必再怀疑：阿蒙森在这里扎过营地了。千万年来人迹未至，或者说，太古①以来从未被世人瞧见过的地球的南极点竟在极短的时间之内——即一个月内两次被人发现，这是人类历史上闻所未闻、最不可思议的事。而他们恰恰是第二批到达的人，他们仅仅迟到了一个月。虽然昔日逝去的光阴数以几百万个月计，但现在迟到的这一个月，却显得太晚太晚了——对人类来说，第一个到达者拥有一切，第二个到达者什么也不是。一切努力成了徒劳，历尽千辛万苦显得十分可笑，几星期、几个月、几年的希望简直可以说是癫狂。"历尽千辛万苦，无尽的痛苦烦恼，风餐露宿——这一切究竟为了什么？还不是为了这些梦想，可现在这些梦想全完了。"——斯科特在他的日记中这样写道。泪水从他们的眼睛里夺眶而出。尽管精疲力竭，这天晚上他们还是夜不成眠。他们像被判了刑似的失去希望，闷闷不乐地继续走着那一段到极点去的最后路程，而他们原先想的是：欢呼着冲向那里。他们谁也不想安慰别人，只是默默地拖着自己的脚步往前走。1月18日，斯科特海军上校和他的四名伙伴到达极点。由于他已不再是第一个到达这里的人，所以这里的一切并没有使他觉得十分耀眼。他只用冷漠的眼睛看了看这块伤心的地方。"这里看不到任何东西，和前几天令人毛骨悚然②的单调没有任何区别。"——这就是罗伯特·福尔肯·斯科特关于极点的全部描写。他们在那里发现的唯一不寻常的东西，不是由自然界造成的，而是由角逐的对手造成的，那就是飘扬着挪威国旗的阿蒙森的帐篷。挪威国旗耀武扬威、扬扬得意地在这被人类冲破的堡垒上猎猎作响。它的占领者还在这里留下一封信，等待着这个不相识的第二名的到来，他相信这第二名一定会随他之后到达这里，所以他请他把那封信带给挪威的哈康国王。斯科特接受了这项任务，他要忠实地去履行这一最冷酷无情的职责：在世界面前为另一个人完成的业绩做证，而这一事业正是他自己所热烈追求的。

他们怏怏不乐③地在阿蒙森的胜利旗帜旁边插上英国国旗——一面姗姗来迟的"联合王国的国旗"，然后离开了这块"辜负了他们雄心壮志"的地方。在他们身后刮来凛冽的寒风。斯科特怀着不祥的预感在日记中写道："回去的路使我感到非常可怕。"

---

① 〔太古〕最古的时代，指人类还没有开化的时代。

② 〔毛骨悚然〕形容十分恐惧的样子。

③ 〔怏（yàng）怏不乐〕形容不满意或不高兴的神情。

回来的路程危险增加了十倍，在前往极点的途中只要遵循罗盘①的指引，而现在他们还必须顺着自己原来的足迹走去，在几个星期的行程中必须小心翼翼，绝对不能偏离自己原来的脚印，以免错过事先设置的贮藏点——在那里储存着他们的食物、衣服和凝聚着热量的几加仑煤油。但是漫天大雪封住了他们的眼睛，使他们每走一步都忧心忡忡，因为一旦偏离方向，错过了贮藏点，无异于直接走向死亡。况且他们体内已缺乏那种初来时的充沛精力，因为那时候丰富的营养所含有的化学能和南极之家的温暖营房都给他们带来了力量。

　　当初，他们一想到自己所进行的探险是人类的不朽事业时，就有超人的力量。而现在，他们仅仅是为了使自己的皮肤不受损伤、为了自己终将死去的肉体的生存、为了没有任何光彩的回家而斗争。在他们的内心深处，与其说盼望着回家，毋宁②说更害怕回家。

　　阅读那几天的日记是可怕的。天气变得愈来愈恶劣，寒季比平常来得更早。他们鞋底下的白雪由软变硬，结成厚厚的冰凌，踩上去就像踩在三角钉上一样，每走一步都要粘住鞋，刺骨的寒冷吞噬③着他们已经疲惫不堪的躯体。他们往往一连几天畏缩不前，走错路，每当他们到达一个贮藏点时，就稍稍高兴一阵，日记的字里行间重新闪现出信心的火焰。在阴森森的一片寂寞之中，始终只有这么几个人在行走，他们的英雄气概不能不令人钦佩。最能证明这一点的莫过于负责科学研究的威尔逊博士，在离死只有寸步之遥的时候，他还在继续进行着自己的科学观察。他的雪橇上，除了一切必需的载重外，还拖着16公斤的珍贵岩石样品。

　　然而，人的勇气终于渐渐地被大自然的巨大威力所销蚀。这里的自然界是冷酷无情的，千万年来积聚的力量能使它像精灵似的召唤来寒冷、冰冻、飞雪、风暴——使用这一切足以毁灭人的法术来对付这五个鲁莽大胆的勇敢者。他们的脚早已冻烂。食物的定量愈来愈少，一天只能吃一顿热餐，由于热量不够，他们的身体已变得非常虚弱。一天，伙伴们可怕地发觉，他们中间最身强力壮的埃文斯突然精神失常。他站在一边不走了，嘴里念念有词，不停地抱怨着他们所受的种种苦难——有的是真的，有的是他的幻觉。从他语无伦次的话里，他们终于明白，这个苦命的人由于摔了一跤或者由于巨大的痛苦已经疯了。对他怎么办？把他抛弃在这没有生命的冰原上？不。可是另一方面，他们

---

①〔罗盘〕测定方向的仪器，由有方位刻度的圆盘和装在中间的指南针构成。

②〔毋（wú）宁〕不如。
③〔吞噬（shì）〕吞食。

又必须毫不迟疑地迅速赶到下一个贮藏点，要不然……从日记里看不出斯科特究竟打算怎么办。2月17日夜里1点钟，这位不幸的英国海军军士死去了。那一天他们刚刚走到"屠宰场营地"，重新找到了上个月屠宰的矮种马，第一次吃上比较丰盛的一餐。

现在只有四个人继续走路了，但灾难又降临到头上。下一个贮藏点带来的是新的痛苦和失望。储存在这里的煤油太少了，他们必须精打细算地使用这最为必需的用品——燃料，他们必须尽量节省热能，而热能恰恰是他们防御严寒的唯一武器。冰冷的黑夜，周围是呼啸不停的暴风雪，他们胆怯地睁着眼睛不能入睡，他们几乎再也没有力气把毡鞋的底翻过来。但他们必须继续拖着身子往前走，他们中间的奥茨已经在用冻掉了脚趾的脚板行走。风刮得比任何时候都厉害。3月2日，他们到了下一个贮藏点，但再次使他们感到可怕的绝望：那里储存的燃料又是非常之少。

现在他们真是惊慌到了极点。从日记中，人们可以觉察到斯科特如何尽量掩饰着自己的恐惧，但从强制的镇静中还是一再迸发出绝望的厉叫："再这样下去，是不行了"，或者"上帝保佑呀！我们再也忍受不住这种劳累了"，或者"我们的戏将要悲惨地结束"。最后，终于出现了可怕的自白："唯愿上帝保佑我们吧！我们现在已很难期望人的帮助了。"不过，他们还是拖着疲惫的身子，咬紧牙关，绝望地继续向前走呀，走呀。奥茨越来越走不动了，越来越成为朋友们的负担，而不再是什么帮手。一天中午，气温达到零下40摄氏度，他们不得不放慢走路的速度，不幸的奥茨不仅感觉到，而且心里也明白，这样下去，他会给朋友们带来厄运，于是做好了最后的准备。他向负责科学研究的威尔逊要了十片吗啡，以便在必要时加快结束自己。他们陪着这个病人又艰难地走了一天路程。然后这个不幸的人自己要求他们将他留在睡袋里，把自己的命运和他们的命运分开来。但他们坚决拒绝了这个主意，尽管他们都清楚，这样做无疑会减轻大家的负担。于是病人只好用冻伤了的双腿踉踉跄跄地又走了若干公里，一直走到夜宿的营地。他和他们一起睡到第二天早晨。清早起来，他们朝外一看，外面是狂吼怒号的暴风雪。

奥茨突然站起身来，对朋友们说："我要到外边去走走，可能要多待一些时候。"其余的人不禁战栗起来。谁都知道，在这种天气下到外面去走一圈意味着什么。但是谁也不敢说一句阻拦他的话，也没有一个人敢伸出手去向他握别。他们大家只是怀着敬畏的心情感觉到：劳伦斯·奥茨——这个英国皇家禁卫军的骑兵上尉正像一个英雄似的向死神走去。

　　现在只有三个疲惫、羸弱①的人吃力地拖着自己的脚步，穿过那茫茫无际、像铁一般坚硬的冰雪荒原。他们疲倦已极，已不再抱任何希望，只是靠着迷迷糊糊的直觉支撑着身体，迈着蹒跚的步履。天气变得愈来愈可怕，每到一个贮藏点，迎接他们的是新的绝望，好像故意捉弄他们似的，只留下极少的煤油，即热能。3月21日，他们离下一个贮藏点只有20公里了。但暴风雪刮得异常凶猛，好像要人的性命似的，使他们无法离开帐篷。每天晚上他们都希望第二天能到达目的地，可是到了第二天，除了吃掉一天的口粮外，只能把希望寄托在第二个明天。他们的燃料已经告罄②，而温度计却指在零下40摄氏度。任何希望都破灭了。他们现在只能在两种死法中间进行选择：是饿死还是冻死。四周是白茫茫的原始世界，三个人在小小的帐篷里同注定的死亡进行了八天的斗争。3月29日，他们知道再也不会有任何奇迹能拯救他们了，于是决定不再迈步向厄运走去，而是骄傲地在帐篷里等待死神的来临，不管还要忍受怎样的痛苦。他们爬进各自的睡袋，却始终没有向世界哀叹过一声自己最后遭遇到的种种苦难。

---

①〔羸（léi）弱〕瘦弱。羸，瘦。　　　　②〔告罄（qìng）〕指物资用完。罄，尽、空。

凶猛的暴风雪像狂人似的袭击着薄薄的帐篷，死神正在悄悄地走来，就在这样的时刻，斯科特海军上校回想起了与自己有关的一切。因为只有在这种从未被人声冲破过的极度寂静之中，他才会悲壮地意识到自己对祖国、对全人类的亲密情谊。但是在这白雪皑皑的荒漠上，只有心中的海市蜃楼，它召来那些由于爱情、忠诚和友谊曾经同他有过联系的各种人的形象，他给所有这些人留下了话。斯科特海军上校在他行将死去的时刻，用冻僵的手指给他所爱的一切人写了书信。

斯科特海军上校的日记一直记到他生命的最后一息，记到他的手指完全冻住，笔从僵硬的手中滑下来为止。他希望以后会有人在他的遗体旁发现这些能证明他和英国民族勇气的日记，正是这种希望使他能用超人的毅力把日记写到最后一刻。最后一篇日记是他用已经冻伤的手指哆哆嗦嗦写下的愿望："请把这本日记送到我的妻子手中！"但他随后又悲伤地、坚决地画去了"我的妻子"这几个字，在它们上面补写了可怕的"我的遗孀"。

住在基地木板屋里的伙伴们等待了好几个星期，起初充满信心，接着有点忧虑，最后终于愈来愈不安。他们曾两次派出营救队去接应，但是恶劣的天气又把他们挡了回来。一直到南极的春天到来之际，10月29日，一支探险队才出发，至少要去找到那几位英雄的遗体。11月12日，他们到达那个帐篷，发现英雄们的遗体已冻僵在睡袋里，死去的斯科特还像亲兄弟似的搂着威尔逊。他们找到了那些书信和文件，并且为那几个悲惨死去的英雄们垒了一个石墓。在堆满白雪的墓顶上竖着一个简陋的黑色十字架。

在英国国家主教堂里，国王跪下来悼念这几位英雄。

一个人虽然在同不可战胜的厄运的搏斗中毁灭了自己，但他的心灵却因此变得无比高尚。所有这些在一切时代都是最伟大的悲剧。

? 思考探究

一　作者说斯科特的南极探险是"伟大的悲剧"。请根据你的理解谈一谈："悲"在何处？"伟大"又指什么？

二　联系上下文，体味下列语句的含义，讨论括号里的问题。

　　1. 对人类来说，第一个到达者拥有一切，第二个到达者什么也不是。

　　　　（作者在这里要表达的是什么意思？你同意这种说法吗？）

2. 斯科特接受了这项任务，他要忠实地去履行这一最冷酷无情的职责：在世界面前为另一个人完成的业绩做证，而这一事业正是他自己所热烈追求的。

（你认为斯科特为什么要接受这项为他人业绩做证的任务？）

3. 他们大家只是怀着敬畏的心情感觉到：劳伦斯·奥茨——这个英国皇家禁卫军的骑兵上尉正像一个英雄似的向死神走去。

（怎样理解"劳伦斯·奥茨……正像一个英雄似的向死神走去"这句话的意思？）

三　作者在创作时，参考了大量的原始文件资料，力求真实、细致地再现历史；同时，在叙述和描写中，又加上了自己的理解和想象。结合课文，谈谈你对传记文学这一特点的理解。

积累拓展

四　斯科特在生命的最后一刻，在冰冷的帐篷里，给英国公众写下了一封绝命书。下面摘录的是这封信的一部分，阅读后结合课文内容（有条件的，可在课外查找有关斯科特的其他材料），写一篇阅读笔记。

此次灾难的原因并不在于组织工作不当，而在于一切必须担当的冒险事业都可能遭遇的厄运。

…………

世界上绝对不会再有比我们遭到的最后这个打击更不幸的遭遇了。我们来到离我们所熟悉的"一吨营"只有11英里路的地方时，剩下的只有煮最后一顿饭的燃料和两天的粮食。

四天来我们无法离开帐篷——狂风在我们四周怒吼。我们身体虚弱，写字很困难。但就我个人来说，我对这次探险毫无悔意，因为它显示出英国人吃苦耐劳，互相帮助，并一如既往那样，能以坚忍不拔的伟大毅力去面对死亡的精神。我们明明知道有风险，但还是顶着风险干。是情况发生了逆转，因此我们没有理由怨天尤人，只有顺从天命；但还是决心尽力而为，至死方休。然而，既然我们是为了祖国的光荣而自愿献身于这项事业，我在这里向我们的同胞们呼吁，请大家对我们的遗孤加以适当照拂。

如果我们能够活下来，我本来想把我的伙伴们坚忍不拔、勇往直前的事迹讲给大家听。它一定会深深打动每一个英国人的心。如今不得不让这些潦草的札记和我们的遗体来讲这些事迹了。

（黄继忠译）

五　茨威格的《人类的群星闪耀时》一书中还有不少精彩的传记作品，课后可以阅读这些篇目，如《滑铁卢的一分钟》《黄金国的发现》《越过大洋的第一次通话》等，进一步品味作家笔下的历史图景。

读读写写

拽		绑		搂		昔	日		堡	垒		辜	负		凛	冽
吞	噬		疲	惫		钦	佩		鲁	莽		毡	鞋		保	佑
厄	运		拯	救		耀	武	扬	威		姗	姗	来	迟
忧	心	忡	忡		语	无	伦	次		海	市	蜃	楼

动宾短语

眨眼睛　　看电影　　写文章　　夸奖我　　拜访他

喷出火焰　看到长城　出现故障　热爱祖国　安排任务

　　上面这些短语，前边是动词，后边是受动词支配的宾语，二者构成动宾关系，称为动宾短语。在动宾短语中，宾语主要是回答"谁""什么""哪里"等，一般由名词、代词等充当。

　　下面的语句出自《伟大的悲剧》。试着找出其中的动词和它的宾语，了解动宾短语在句子结构中的作用。

　　（1）他们谁也不想安慰别人……

　　（2）斯科特接受了这项任务，他要忠实地去履行这一最冷酷无情的职责……

　　（3）因为一旦偏离方向，错过了贮藏点，无异于直接走向死亡。

22 太空一日①

杨利伟

预习

◎ 2003年10月15日，"神舟五号"载人飞船发射升空，杨利伟成为我国第一位进入太空的航天员。搜集关于这次飞船发射的新闻报道，了解我国载人航天史上的这一重要事件。

◎ 这篇课文展现了航天员杨利伟首次太空飞行的一些经历。快速浏览课文，注意借助各部分的小标题，把握文章的主要内容。

我以为自己要牺牲了

9时整，火箭尾部发出巨大的轰鸣声，数百吨高能燃料开始燃烧，八台发动机同时喷出炽热的火焰，高温高速的气体，几秒钟就把发射台下的上千吨水化为蒸气。

火箭起飞了。

我全身用力，肌肉紧张，整个人收缩得像一块铁。

开始时飞船缓慢地升起，非常平稳，甚至比电梯还要平稳。我感到压力远不像训练时想象的那么大，心里稍觉释然，全身紧绷的肌肉也渐渐放松下来。

"逃逸塔分离"，"助推器分离"……

火箭逐渐加速，我感到压力在不断增强。因为这种负荷我在训练时承受过，变化幅度甚至比训练时还小些，所以我身体的感受还挺好，觉得没啥问题。

但火箭上升到三四十公里的高度时，火箭和飞船开始急剧抖动，产生共

---

① 选自《天地九重》（解放军出版社2010年版）。
有删改。

振。这让我感到非常痛苦。

人体对10赫兹以下的低频振动非常敏感，它会引起人的内脏共振。而这时不单单是低频振动的问题，而且这个新的振动叠加在一个大约6G的负荷[①]上。这种叠加太可怕了，我从来没有进行过这种训练。

意外出现了。共振以曲线的形式变化着，痛苦的感觉越来越强烈，五脏六腑似乎都要碎了。我几乎无法承受，觉得自己快不行了。

当时，我的头脑还非常清醒，以为飞船起飞时就是这样的。其实，起飞阶段发生共振并非正常现象。

那种共振持续26秒钟后，慢慢减轻。我从极度难受的状态中解脱出来，一切不适都不见了，感到一种从未有过的轻松和舒服，如释千钧重负，如同一次重生，我甚至觉得这个过程很耐人寻味。但在痛苦的极点，就在刚才短短一刹那，我真的以为自己要牺牲了。

飞行回来后我详细描述了这种难受的过程。经过分析研究，工作人员认为，飞船共振主要来自火箭的振动。随后他们改进技术工艺，解决了这个问题。在"神舟六号"飞行时，情况有了很大改善，在后来的航天飞行中再也没出现过。聂海胜[②]说："我们乘坐的火箭、飞船都非常舒适，几乎感觉不到振动。"

在空中度过那难以承受的26秒钟时，不仅我感觉特别漫长，地面的工作人员也陷入空前的紧张中。因为通过大屏幕，飞船传回来的画面是定格的，我整个人一动不动，眼睛也不眨。大家都担心我是不是出了什么事故。

后来，整流罩[③]打开，外面的光线透过舷窗一下子照射进来，阳光很刺眼，我的眼睛忍不住眨了一下。

就这一下，指挥大厅有人大声喊道："快看啊，他眨眼了，利伟还活着！"所有的人都鼓掌欢呼起来。

这时我第一次向地面报告飞船状态："'神舟五号'报告，整流罩打开正常！"

当我返回地球观看这段录像时，我激动得说不出任何话来。

---

① 〔大约6G的负荷〕指约6倍于人体自身体重的负荷。
② 〔聂海胜〕中国航天员。2005年10月，他和费俊龙成功执行"神舟六号"载人航天飞行任务。
③ 〔整流罩〕飞行器上罩于外突物或结构外形不连续处以减少空气阻力的流线型构件。

我看到了什么

从载人飞船上看到的地球，并非呈现球状，而只是一段弧。因为地球的半径有6 000多公里，而飞船的飞行轨道距离地面的高度是343公里左右。我们平常在地理书上看到的球形地球照片，是由飞行轨道更高的同步卫星拍摄下来的。

在太空中，我可以准确判断地球上各大洲和各个国家的方位。因为飞船有预定的飞行轨道，可以实时标示飞船走到哪个位置，投影到地球上是哪一点，有图可依，一目了然。

即使不借助仪器和地图，以我们航天课程中学到的知识，从山脉的轮廓、海岸线的走向以及河流的形状，我也基本可以判断飞船正经过哪个洲的上空，正在经过哪些国家。

飞经亚洲，特别是经过中国上空时，我就会仔细分辨大概到哪个省，正从哪个地区上空飞过。

飞船的飞行速度比较快，经过某省、某地域乃至中国上空的时间都很短，每一次飞过后，我的内心都期待着下一次。

我曾俯瞰我们的首都北京，白天它是燕山山脉边的一片灰白，分辨不清，夜晚则呈现一片红晕，那里有我的战友和亲人。

飞船绕地飞行14圈，前13圈飞的是不同的轨道，是不重复的，只有第14圈又回到第一圈的位置上，准备返回。在距离地面300多公里的高度上，俯瞰时有着很广阔的视野，祖国的各个省份我大都看到了。

但是，我没有看到长城。

曾经有一个流传甚广的说法，航天员在太空唯一能看到的建筑就是长城。我和大家的心情一样，很想验证

杨利伟

这个说法。我几次努力寻找长城，但是没有结果。"神舟六号"和"神舟七号"飞行时，我曾叮嘱航天员们仔细看看，但他们也没看到长城。

在太空，实际上看不到地球上的任何单体建筑。我询问过国际上的很多航天员，没有谁能拿出确凿证据说看到了什么。即使是大城市，在夜晚看到时也只是淡淡的红色。

在太空中，我还看到类似棉絮状的物体从舷窗外飘过，小的如米粒，大的如指甲盖，听不到什么声音，也感觉不到这些东西的任何撞击。

不知道那些是什么，我认为也许是灰尘，高空可能并不那么纯净，会有一些杂质，也可能是太空垃圾。那些物体悬浮在飞船外面，无法捕捉回来，我至今还没弄清那到底是些什么。

神秘的敲击声

作为首飞的航天员，除了一些小难题，其他突发的、原因不明的、没有预案的情况还会遇上许多。

比如，当飞船刚刚进入轨道，处于失重状态时，百分之八九十的航天员都会产生一种"本末倒置"的错觉。这种错觉令人难受，明明是朝上坐的，却感觉脑袋冲下。如果不消除这种倒悬的错觉，就会觉得自己一直在倒着飞，很难受，严重时还可能诱发空间运动病，影响任务完成。

在地面时没人提到这种情况，即使有人知道，训练也无法模拟。估计在我之前遨游太空的国外航天员会有类似体验，但他们从未对我说起过。

在这种情况下，没有别的办法，只能完全靠意志克服这种错觉。想象自己在地面训练的情景，眼睛闭着猛想，不停地想，以给身体一个适应过程。几十分钟后，我终于调整过来。

"神舟六号"和"神舟七号"升空后，航天员都产生过这种错觉，但他们已有心理准备，因为我跟他们仔细说过。而且，飞船舱体也经过改进，内壁上下刷着不同的颜色，天花板是白色的，地板是褐色的，这样便于帮助航天员迅速调整感觉。

我在太空还遇到一个至今仍然原因不明的情况，那就是时不时出现敲击声。

这个声音是突然出现的，并不一直响，而是一阵一阵的，不管白天黑夜，毫无规律，说不准什么时候就响几声。既不是外面传进来的声音，也不是飞船里面的声音，仿佛谁在外面敲飞船的船体。很难准确描述它，不是叮叮的，也不是当当的，而更像是用一把木头锤子敲铁桶，咚……咚咚……咚……

鉴于飞船的运行一直很正常，我并没有向地面报告这一情况。但自己还是很紧张，因为第一次飞行，生怕哪里出了问题。每当响声传来的时候，我就趴在舷窗那里，边听边看，试图找出响声所在，却未能发现什么。

回到地面后，人们对这个神秘的声音做过许多猜测。技术人员想弄清它到底来自哪里，就用各种办法模拟它，拿着录音让我一次又一次地听，我却总是觉得不像。对航天员最基本的要求是严谨，不是当时的声音，我就不能签字，所以就让我反复听，断断续续听了一年多。但是直到现在也没有确认，那个神秘的声音也没有在我耳边准确地再现过。

在"神舟六号"和"神舟七号"飞行时，这个声音又出现了，但我告诉航天员："出现这个声音别害怕，是正常现象。"

归途如此惊心动魄

5时35分，北京航天指挥中心向飞船发出"返回"指令。飞船开始在343公里高的轨道上制动，就像刹车一样。

飞船先是在轨道上进行180度的调姿——返回时要让推进舱在前，这就需要180度的"调头"。

"制动发动机关机！"5时58分，飞船的速度减到一定数值，开始脱离原来的轨道，进入无动力飞行状态。

6时4分，飞船飞行至距离地面100公里，逐渐进入稠密大气层。

这时飞船的飞行速度仍然很快，遇到空气阻力后，它急剧减速，产生了近4G的过载，我的前胸和后背都承受着很大压力。我们平时已经训练过如何应对这种情况，因此身体上能够应付自如，心理上也没有为之紧张。

让我紧张以至惊慌的却另有原因。

先是快速行进的飞船与大气摩擦，产生的高温把舷窗外面烧得一片通红；接着在映红的舷窗外，有红的白的碎片不停划过。飞船的外表面有防烧蚀层，它是耐高温的，随着温度升高，开始剥落，并在剥落的过程中带走一部分热量。我学习过这方面的知识，看到这种情形，知道是怎么回事。

但随后发生的情况让我非常紧张——右边的舷窗开始出现裂纹。窗外烧得跟炼钢炉一样，玻璃窗开始出现裂纹，那种纹路就跟强化玻璃被打碎后的那种小碎纹一样，这种细密的碎纹，眼看着越来越多……说不恐惧那是假话，你想啊，外边可是1 600~1 800 ℃的超高温度。

我的汗出来了。这时候舱内的温度也在升高，但并没有高到让我瞬间出汗的程度，其实主要还是因为紧张。

我现在还能回想起当时的情形：飞船急速下降，跟空气摩擦产生的激波，不仅有极高的温度，还伴随着尖利的呼啸声；飞船带着不小的过载，在不停振动，里面咯咯吱吱乱响。外面高温，不怕！有碎片划过，不怕！过载，也能承受！但是看到舱窗玻璃开始出现裂缝，我紧张了，心想：完了，这个舱窗不行了。

当时我突然想到，美国的"哥伦比亚号"航天飞机不就是这样出事的吗？一个防热板先出现一条裂缝，然后高热就使航天器解体了。现在，这么大一个舱窗坏了，那还得了！

先是右边舱窗有裂纹，当它裂到一半的时候，我转过头一看左边的舱窗，也开始出现裂纹。这个时候我反而放心一点儿了：哦，可能没什么大问题！因为如果是故障，重复出现的概率并不高。

回来后我才知道，飞船的舱窗外做了一层防烧涂层，是这个涂层烧裂了，而不是玻璃窗本身出现问题。为什么两边没有同时出现裂纹呢？因为两边用了不同的材料。

以前每次进行飞船发射与返回实验，返回的飞船舱体经过高温烧灼，舱窗黑乎乎的，工作人员看不到这些裂纹。而如果不是在飞船体内亲眼看到，谁都不会想到有这种情况。

此时，飞船正处在黑障区①，距离地面大约80公里到40公里。当飞行到距离地面40公里时，飞船出了黑障区，速度已经降下来，上面说到的异常动静也已减弱。

一个关键的操作——抛伞，即将开始。

这时舱窗已经烧得黑乎乎的，我坐在里面，怀抱着操作盒，屏息凝神②地等待着配合程序：到哪里该做什么，该发什么指令，判断和操作都必须准确无误。

6时14分，距离地面10公里，飞船抛开降落伞盖，并迅速带出引导伞。

这是一个剧烈的动作。能听到"砰"的一声，非常响，164分贝。我在里

---

① 〔黑障区〕当飞船、卫星等以高速返回大气层时，在一定高度区域，与地面的通信联系会中断，这个区域被称为"黑障区"。

② 〔屏（bǐng）息凝神〕暂时抑止呼吸，聚集精神，形容高度集中注意力。屏，抑止（呼吸）。

边感到被狠狠地一拽，瞬间过载很大，对身体的冲击也非常厉害。接下来是一连串的快速动作。引导伞出来后，紧跟着把减速伞也带出来，减速伞使飞船减速下落，16秒钟后再把主伞带出来。

其实最折磨人的就是这段过程了。随着一声巨响，你会感到突然减速；引导伞一开，使劲一提，会把人吓一跳；减速伞一开，又往那边一拽；主伞开时又把你拉向另一边。每次力量都相当重，飞船晃荡得很厉害，让人不知道是怎么回事。

我后来问过俄罗斯的航天员，他们从不给新航天员讲述这个过程，担心新手们害怕。我回来却讲了，每一个步骤都给"神六"和"神七"的战友讲了，让他们有思想准备，并告诉他们不用紧张，很正常。

我们航天员是很重视这段过程的：伞开得好等于安全有保障，至少保证生命无虞[1]。所以我被七七八八地拽了一通，平稳之后心里却真是踏实——数据出来了，速度控制在规定范围内。我知道，这伞肯定是开好了！

距离地面5公里时，飞船抛掉防热大底，露出缓冲发动机。同时主伞也有一个动作，它这时变成双吊，飞船被摆正了，在风中晃悠着落向地面。

飞船距离地面1.2米，缓冲发动机点火。接着飞船"咚"的一声落地了。

我感觉落地很重，飞船弹了起来。在它第二次落地时，我迅速按下了切伞开关。

飞船停住了。此时是2003年10月16日6时23分。

那一刻四周寂静无声，舷窗黑乎乎的，看不到外面的任何景象。

过了几分钟，我隐约听到外面喊叫的声音，手电的光束从舷窗上模糊地透进来。我知道：他们找到飞船了，外边来人了！

? 思考探究

一　太空一日，充满紧张和意外。阅读课文，找找看，杨利伟遇到了哪些意外情况？他相应地又有怎样的心理活动或举动？

二　杨利伟在文中说"对航天员最基本的要求是严谨"。试着在文中找一些例子，体会航天员严谨、科学的态度。

---

①〔无虞（yú）〕不用忧虑。虞，忧虑。

三 结合课文，体会下列语句蕴含的情感。

1. 就这一下，指挥大厅有人大声喊道："快看啊，他眨眼了，利伟还活着！"所有的人都鼓掌欢呼起来。

2. 我曾俯瞰我们的首都北京，白天它是燕山山脉边的一片灰白，分辨不清，夜晚则呈现一片红晕，那里有我的战友和亲人。

3. 过了几分钟，我隐约听到外面喊叫的声音，手电的光束从舷窗上模糊地透进来。我知道：他们找到飞船了，外边来人了！

积累拓展

四 通过学习课文，你明白杨利伟为什么被称为"航天英雄"了吧。假如杨利伟到你们学校和大家交流，你会向他提什么问题呢？

读读写写

弧			炽	热		轮	廓		俯	瞰		模	拟		遨	游
严	谨		稠	密		概	率		烧	灼		五	脏	六	腑	
千	钧	重	负		耐	人	寻	味		惊	心	动	魄			

23 带上她的眼睛[①]

刘慈欣

"眼睛"还能被人带走？开头就设下悬念，引发读者的阅读兴趣。

我要去度假，主任让我再带一双眼睛去。

主任递给我一双眼睛，指指前面的大屏幕，把眼睛的主人介绍给我，是一个好像刚毕业的小姑娘，在肥大的太空服中，显得很娇小，她面前有一支失重的铅笔飘在空中。

我问她想去哪里。

这个决定对她似乎很艰难，她的双手在太空服的手套里，握在胸前，双眼半闭着，似乎认为地球在我们这次短暂的旅行后就要爆炸了，我不由笑出声来。

"那就去我们起航前去过的地方吧。"她说。

这是高山与草原的交接处，大草原从我面前一直延伸到天边，背后的群山覆盖着绿色的森林，几座山顶还有银色的雪冠。

我掏出她的眼睛戴上。

所谓眼睛就是一副传感眼镜，当你戴上它时，你所看到的一切图像由超高频信息波发射出去，可以被远方的另一个戴同样传感眼镜的人接收到，于是他就能看到你所看到的一切，就像你带着他的眼睛一样；它还能通过采集戴着它的人的脑电波，把触觉和味觉一同发射出去。现在，每个长时间在太空中工作的宇航员在地球上都有了另一双眼睛，由这里真正能去度假的幸运儿带上这双眼睛，让身处外太空的那个思乡者分享他的快乐。

---

① 本文由作者根据自己的同名小说改写。

"这里真好！"她轻柔的声音从她的眼睛中传出来，"我现在就像从很深很深的水底冲出来呼吸到空气，我太怕封闭了。"

我从眼睛中真的听到她在做深呼吸，我说："可你现在并不封闭，同你周围的太空比起来，这草原太小了。"

她沉默了，似乎连呼吸都停止了，但几秒钟后，她突然惊叫："呀，花，有花啊！上次我来时没有的！"

是的，广阔的草原上到处点缀着星星点点的小花。"能近些看看那朵花吗？"我蹲下来看。"呀，真美！能闻闻它吗？不，别拔下它！"我只好趴到地上闻，一缕淡淡的清香。"啊，我也闻到了，真像一首隐隐传来的小夜曲呢……"

我在草原上漫步，很快来到一条隐没在草丛中的小溪旁。她叫住了我说："我真想把手伸到小河里。"我蹲下来把手伸进溪水，一股清凉流遍全身，她的眼睛用超高频信息波把这感觉传给远在太空中的她，我又听到了她的感叹。

"你那儿很热吧？"我想起了从屏幕上看到的她那窄小的控制舱和隔热系统异常发达的太空服。

"热，热得像……地狱。呀，天啊，这是什么？草原的风？！"这时我刚把手从水中拿出来，微风吹在湿手上凉丝丝的，她让我把双手举在草原的微风中，直到手被吹干。

…………

我带着她的眼睛在草原上转了一天，她渴望看草原上的每一朵野花，每一棵小草，看草丛中跃动的每一缕阳光；一条突然出现的小溪，一阵不期而至的微风，都会令她激动不已……我感到，她对这个世界的情感已丰富到不正常的程度。

小姑娘的表现是不是有些奇怪？

日落前，我走到了草原中一间孤零零的白色小屋，那是为旅游者准备的一间小旅店，只有一个迟钝的老式机器人照看着旅店里的一切。

　　夜里我刚睡着，她就通过眼睛叫醒了我："请带我出去好吗？我们去看月亮，月亮该升起来了！"

　　我睡眼蒙眬中很不情愿地起了床，到外面后发现月亮真的刚升起来，月光下的草原也在沉睡。

　　我伸了个懒腰，对着夜空说："你在太空中不也一样能看到月亮吗？喂，告诉我你的飞船的大概方位，说不定我还能看到呢。"

　　她没有回答我的话，而是自己轻轻哼起了一首曲子，哼了一小段后，她说："这是德彪西①的《月光》。"直到一个小时后我回去躺到床上，她还在哼着《月光》，那轻柔的旋律一直在我的梦中飘荡着。

　　第二天清晨，阴云布满了天空，草原笼罩在蒙蒙的小雨中，我从眼睛中听到了她轻轻的叹息声。

　　"看不到日出了，好想看草原的日出……听，这是今天的第一声鸟叫，雨中也有鸟呢！"

　　又回到了灰色的生活和忙碌的工作中，以上的经历很快就淡忘了。很长时间后，我想起洗那些那次旅行时穿的衣服时，在裤脚上发现了两三颗草籽。同时，在我的意识深处，也有一颗小小的种子留了下来。在我孤独寂寞的精神沙漠中，那颗种子已长出了令人难以察觉的绿芽。虽然是无意识的，当一天的劳累结束后，我已能感觉到晚

如何理解"我"精神上的变化？

————————————
①〔德彪西（1862—1918）〕法国作曲家，"印象主义"音乐的开创者。

风吹到脸上时那淡淡的诗意，鸟儿的鸣叫已能引起我的注意，我甚至黄昏时站在天桥上，看着夜幕降临城市……世界在我的眼中仍是灰色的，但星星点点的嫩绿在其中出现，并在增多。当这种变化发展到让我觉察出来时，我又想起了她。

也是无意识的，在闲暇时甚至睡梦中，她身处的环境常在我的脑海中出现，那封闭窄小的控制舱，奇怪的隔热太空服……后来这些东西在我的意识中都隐去了，只有一样东西凸现出来，这就是那在她头顶上打转的失重的铅笔，不知为什么，一闭上眼睛，这支铅笔总在我的眼前飘浮。终于有一天，上班时我走进航天中心高大的门厅，一幅见过无数次的巨大壁画把我吸引住了，壁画上是从太空中拍摄的蔚蓝色的地球。那支飘浮的铅笔又在我的眼前出现了，同壁画叠印在一起，我又听到了她的声音："我怕封闭……"一道闪电在我的脑海里出现。

我发疯似的跑上楼，猛砸主任办公室的门，他不在，我心有灵犀①地知道他在哪儿，就飞跑到存放眼睛的那个小房间，他果然在里面，看着大屏幕。她在大屏幕上，还在那个封闭的控制舱中，穿着那件"太空服"，画面凝固着，是以前录下来的。"是为了她来的吧。"主任说，眼睛还看着屏幕。

"她到底在哪儿？！"我大声问。

"你可能已经猜到了，她是'落日六号'的领航员。"

一切都明白了，我无力地跌坐在地毯上。

除了太空，还有一个地方会失重！！

"落日工程"是一系列的探险航行，它的航行程序同航天中心的其他航行几乎一样，唯一不同

> 谜底逐渐揭开，前面的种种疑问和悬念都有了答案。

---

① 〔心有灵犀（xī）〕指彼此心意相通。

的是，"落日"飞船不是飞向太空，而是潜入地球深处。

第一次太空飞行一个半世纪后，人类开始了向相反方向的探险，"落日"系列地航飞船就是这种探险的首次尝试。

我记得"落日一号"发射时的情景。那时正是深夜，吐鲁番盆地的中央出现了一个如小太阳般的火球，当火球暗下来时，"落日一号"已潜入地层，只在潜入点留下了一个岩浆的小湖泊，发出耀眼的红光。那一夜，在几百公里外都能感到飞船穿过地层时传到大地上的微微震动。

宇宙航行是寂寞的，但宇航员们能看到无限的太空和壮丽的星群；而地航飞船上的地航员们，只能从飞船上的全息后视电视中看到这样的情景：炽热的岩浆刺目地闪亮着，翻滚着，随着飞船的下潜，在船尾飞快地合拢起来，瞬间充满了飞船通过的空间。飞船上方那巨量的地层物质在不断增厚，产生了一种地面上的人难以想象的压抑感。

"落日工程"的前五艘飞船都成功地完成了地层航行，安全返回地面。"落日六号"的航行开始很顺利，但在飞船航行15小时40分钟时，警报出现了。从地层雷达的探测中得知，航行区的物质密度急剧增高，物质成分由硅酸盐类突然变为以铁镍①为主的金属，物质状态也由固态变为液态，飞船显然误入了地核区域。"落日六号"立刻紧急转向，企图冲出这个危险区域。当飞船在远大于设计密度和设计压力的液态铁镍中转向时，发动机与主舱结合部断裂，失去发动机的飞船在地层中失去了动力，"落日六号"在液态的地核物质中向地心沉下去。

对地航飞行的想象，涉及了一些科学知识，令人感到真实。

---

① 〔镍〕读niè。

现在的地航飞船误入地核，就如同21世纪中期的登月飞船偏离月球迷失于外太空，获救的希望是丝毫不存在的。

好在"落日六号"主舱的船体是可靠的，船上的中微子通信系统仍和地面控制中心保持着联系。在以后的一年中，"落日六号"航行组仍坚持工作，把从地核中得到的大量宝贵资料发送到地面。飞船被裹在6 000多公里厚的物质中，船外别说空气和生命，连空间都没有，周围是温度高达5 000摄氏度，压力可以把碳在一秒钟内变成金刚石的液态铁镍！它们密密地挤在"落日六号"的周围，密得只有中微子才能穿过，"落日六号"仿佛是处于一个巨大的炼钢炉中！在这样的世界里，生命算什么？仅仅能用脆弱来描述它吗？

后来，航行组中的另外两名地航员在事故中受伤，不久相继去世，从那以后，在"落日六号"上，只剩下她一个人了。

现在，"落日六号"内部已完全处于失重状态，飞船已下沉到6 300公里深处，那里是地球的最深处，她是第一个到达地心的人。

她在地心的世界是那个活动范围不到10立方米的闷热的控制舱。飞船上有一个中微子传感眼镜，这个装置使她同地面世界多少保持着一些感性的联系。但这种如同生命线的联系不能长时间延续下去，飞船里中微子通信设备的能量最后耗尽，这种联系在两个月前就中断了，具体时间是在我从草原返回航天中心的途中。

那个没有日出的细雨蒙蒙的草原早晨，竟是她最后看到的地面世界。

"落日六号"的中子材料外壳足以抵抗地心的巨大压力，而飞船上的生命循环系统还可以运行

是第一，更是唯一。孤寂！

50至80年，她将在这不到10立方米的地心世界里度过自己的余生。

我听到了她同地面最后通信的录音，这时来自地心的中微子波束已很弱，她的声音时断时续，但这声音很平静。

"……今后，我会按照研究计划努力工作的。将来，也许会有地心飞船找到'落日六号'并同它对接，但愿那时我留下的资料会有用。请你们放心，我现在已适应这里，不再觉得狭窄和封闭了，整个世界都围着我呀，我闭上眼睛就能看见上面的大草原，还可以清楚地看见那里的每一朵小花呢……"

在以后的岁月中，地球常常在我脑海中就变得透明了，在我下面6 000多公里深处，我看到了停泊在地心的"落日六号"地航飞船，感受到了从地球中心传出的她的心跳，听到了她吟唱的《月光》。

有一个想法安慰着我：不管走到天涯海角，我离她都不会再远了。

从这段话中，可以看出小姑娘怎样的性格特点和精神品质？

阅读提示

这篇小说想象奇特，构思巧妙，读来令人兴趣盎然。作者很会讲故事，尤其善于制造悬念。文中多处埋下伏笔，最后的谜底既出人意料又在情理之中。阅读时，不妨先采用快速浏览的方式，顺着自己的好奇心，去追寻小说的情节线索。

科幻小说将科学与幻想结合起来，创造出一片奇妙而又合理的想象天地。课文也体现了这一特点。你还读过其他科幻小说吗？课外可以阅读一些科幻小说名作，比如刘慈欣的《朝闻道》、阿瑟·克拉克的《星》、弗诺·文奇的《真名实姓》等。

点	缀		漫	步		迟	钝		蒙	眬		闲	暇		凸	现
拍	摄		蔚	蓝		合	拢		吟	唱		孤	零	零		
不	期	而	至		心	有	灵	犀		天	涯	海	角			

补充短语

我们前边学过结构助词"得","得"用在动词或形容词后边时，常常引出补充性成分，"得"就成为这类补充短语的标志。例如：

干得很好　　　　　跑得出汗了

热得难受　　　　　密得不透气

从上边的例子可以看出，补充短语的前一部分常常是动词或形容词，后一部分起补充说明作用，主要是由动词或形容词性词语充当。

有些补充短语没有"得"字做标志，阅读时需要仔细辨别。例如：

吓／跑了　　升／起来了　　放松／下来

热／死了　　湿／透了　　漂亮／极了

24　河中石兽①

纪　昀

预习

◎ 纪昀的《阅微草堂笔记》主要讲述各种狐鬼怪谈、奇闻逸事，其中有不少都包含着作者的寄托和感慨。阅读课文，看看作者讲了一个怎样的故事。

◎ 参考注释，留意某些词古今不同的意义。

　　沧州②南一寺临河干③，山门④圮⑤于河，二石兽并沉焉。阅⑥十余岁，僧募金重修，求⑦二石兽于水中，竟⑧不可得，以为顺流下矣。棹数小舟⑨，曳铁钯⑩，寻十余里无迹。

　　一讲学家设帐⑪寺中，闻之笑曰："尔辈不能究物理⑫。是非木杮⑬，岂能为暴涨携之去？乃石性坚重，沙性松浮，湮⑭于沙上，渐沉渐深耳。沿河求之，不亦颠⑮乎？"众服为确论⑯。

　　一老河兵⑰闻之，又笑曰："凡河中失石⑱，当求之于上流。盖石性坚重，

---

① 选自《阅微草堂笔记》卷十六（上海古籍出版社1980年版）。题目是编者加的。纪昀（yún）（1724—1805），字晓岚，直隶献县（今属河北）人，清代学者、文学家。

② 〔沧州〕地名，今属河北。

③ 〔河干（gān）〕河岸。

④ 〔山门〕佛寺的外门。

⑤ 〔圮（pǐ）〕倒塌。

⑥ 〔阅〕经过，经历。

⑦ 〔求〕寻找。

⑧ 〔竟〕终了，最后。

⑨ 〔棹（zhào）数小舟〕划着几只小船。棹，划（船）。

⑩ 〔曳（yè）铁钯（pá）〕拖着铁钯。曳，拖。

铁钯，农具，用于除草、平土等。

⑪ 〔设帐〕设馆教书。

⑫ 〔尔辈不能究物理〕你们这些人不能探求事物的道理。尔辈，你们这些人。究，研究、探求。物理，事物的道理、规律。

⑬ 〔是非木杮（fèi）〕这不是木片。是，这。木杮，削下来的木片。

⑭ 〔湮（yān）〕埋没。

⑮ 〔颠〕颠倒，错乱。

⑯ 〔众服为确论〕大家很信服，认为是正确的言论。

⑰ 〔河兵〕巡河、护河的士兵。

⑱ 〔失石〕丢失的石头，这里指落入水中的石头。

沙性松浮，水不能冲石，其反激之力①，必于石下迎水处啮②沙为坎穴③。渐激渐深，至石之半，石必倒掷坎穴中。如是再啮，石又再转。转转不已④，遂⑤反溯流⑥逆上矣。求之下流，固颠；求之地中，不更颠乎？"如其言，果得于数里外。然则天下之事，但知其一，不知其二者多矣，可据理臆断⑦欤？

思考探究

一　关于如何寻找石兽，从事情的结局来看，寺僧、讲学家都不及老河兵有见识。你从中悟出了怎样的道理？

①〔反激之力〕河水撞击石头返回的冲击力。
②〔啮（niè）〕咬，这里是侵蚀、冲刷的意思。
③〔坎穴〕坑洞。
④〔不已〕不停止。
⑤〔遂〕于是。
⑥〔溯（sù）流〕逆流。
⑦〔据理臆断〕根据某个道理就主观判断。臆断，主观地判断。

二 对于课文，我们如果用现代科学知识来看，也会产生疑问。下面这则资料也许会引发你新的思考，请与同学交流。

　　　山西永济蒲津渡是黄河上的重要渡口，蒲津渡浮桥在历史上很有名气。唐代开元年间在渡口两岸各铸造了四尊铁牛（平均每尊重约36.5吨）、四个铁人、两座铁山等，组成了拴系浮桥所必需的锚碇系统。后因黄河改道，铁牛等没入水中，埋在地下。1989年，东岸铁牛由河滩下挖出，铁牛和铁人排列整齐，还在原址。

　　　　　　　　　　　（资料见《唐铁牛与蒲津桥》，《山西文史资料》1999年Z1期）

积累拓展

三 背诵这篇课文。

四 解释下列句中加点的词。

　1. 阅十余岁，僧募金重修……

　2. 竟不可得，以为顺流下矣。

　3. 尔辈不能究物理。

　4. 其反激之力，必于石下迎水处啮沙为坎穴。

五 文言中的一些字的含义在成语里还有留存。参照示例，写出含有下面加点字（意思保持不变）的成语。

　例：湮于沙上，渐沉渐深耳。（湮没无闻）

　1. 尔辈不能究物理。

　2. 是非木杮，岂能为暴涨携之去？

　3. 一老河兵闻之……

语言简明

看下面这段文字，你觉得它在语言表达上有什么问题吗？

> 还有一种立体的书，也很吸引人。很多人围上去看。它的插图都是立体的。当你把书打开的时候，书里的人和动物会马上站起来，"跃然纸上"，栩栩如生。

这段文字的语言不够简明。"立体的"出现两次，字面重复；"吸引人"和"很多人围上去看"，意思重复；"当你把书打开的时候"，不够简洁。因此，可以改成下面这样：

> 还有一种书，插图是立体的，也很吸引人。打开书，书里的人和动物会站起来，"跃然纸上"，栩栩如生。

简明，就是简要、明白。也就是说，行文时，语言要尽可能精练，不重复、啰唆，同时，表达的意思又要清楚明白，不让人产生误解。那么，怎样做到语言简明呢？

首先，行文时要围绕中心来写，不旁生枝节。请看下面这段话：

> 最近我发现，鱼尾纹已悄然爬上了妈妈的眼角。我拿出了平日好不容易积攒下来的零用钱，跑到商店里，想给妈妈买支眼霜。各种品牌的眼霜看得我眼花缭乱，昂贵的价格更让我感到囊中羞涩。<u>我想，眼霜那么贵，利润一定很高，看来卖化妆品能挣不少钱呢！</u>最后，我只好失落地走出了商店。

这一段写"我"去商店里给妈妈买眼霜，表现"我"对妈妈的感恩之情。文中画线句子偏离中心，分散了叙事的主题，使语段不明了，应该删掉。

其次，在没有特殊的表达需要时，要避免词语的重复。下边这两个句子就有些啰唆，请和同学讨论，看看应该怎样修改。

1. 她说她在等候上车的时候，她心里一直在后悔。

2. 接着是整座城市被火山熔岩淹没，直到1709年才被一些考古学家将这座城市发掘出来。

再次，还要注意不要堆砌词语。有的同学以为词语特别是形容词用得越多，写出来的作文就显得越有水平。其实不然。例如：

1. 小伙子天天锻炼，身体显得很<u>健壮结实</u>、<u>强壮有力</u>、<u>敦实健硕</u>。

2. 战胜了挫折，出现在我们面前的将是<u>无限光辉灿烂</u>的<u>无比光明</u>的<u>美好</u>前景。

这两个句子各自画线的词语，意思相近，放在一起，给人堆砌、累赘的感觉。

鲁迅先生曾说："写完后至少看两遍，竭力将可有可无的字、句、段删去，毫不可惜。"（《答北斗杂志社问——创作要怎样才会好？》）要想写出简洁明了的文章，我们应该不断地修改、锤炼。

写作实践

一　下面这段话不够简明，请加以修改。

　　　篮球比赛结束后，比赛完的队友们一个个都坐上大巴走了。大巴是学校的车，学校有好几辆大巴和小轿车。我没有上车，而是一个人默默地走回家。我在回家的途中，紧锁着眉头，无奈地叹息，我心里很难受，不禁为比赛的失利感到难过。那个夕阳西下的黄昏，我一个人站在家门口，独自伫立在余晖之中。

　　　提示：

　　　1. 抓住叙事的主题，去掉偏离中心的语句。

　　　2. 删掉语义重复的词语，使表达更加简明。

二　用简明的语言概括《带上她的眼睛》或《河中石兽》的主要内容，不超过150字，写完后小组内交流。

　　　提示：

　　　1. 概括主要内容，要在立足原文的基础上，把握中心和要点，删减旁枝末节的部分。

　　　2. 概括的文字既要简明，也要保持连贯通畅，避免因过度追求简明而造成字面意思跳跃。

三　航天、生物、计算机、新能源……你对哪个领域的科学技术最感兴趣？请搜集相关资料，加深对这种科学技术的理解。在此基础上，展开想象，写一篇作文。不少于500字。

　　　提示：

　　　1. 可以想象科学技术在未来的发展情况，及其对社会生活的影响。这种影响可能是有益的，也可能带来潜在的威胁和灾难。

　　　2. 要有一定的故事情节。如果能像《带上她的眼睛》那样，设置一些悬念和伏笔，那就更好了。

　　　3. 写完后多读几遍，根据语言简明的要求，做进一步的修改。

我的语文生活

学习语文，可以在课堂上，也可以在课外生活中。社会生活给我们的语文学习提供了丰富的资源，如各种书籍报刊、街上的招牌广告、门口的对联、广播电视节目、电影、网络等。语文学习的外延与生活的外延相等，语文学习的机会无处不在，只要留心就会有收获！

全班同学可分成三个大组，分别开展下面的活动。

一、正眼看招牌

商店的招牌是街市的"眼睛"。好的招牌，能吸引人的注意，还能引起人们购物的兴趣。到街上走走，会看到有的招牌设计比较讲究，风格独特，有浓浓的文化感。可能也有一些招牌比较粗糙，没有特色，存在用字不规范、有错别字，或者汉语拼音有错漏等毛病。

（一）调查访问

1. 同学们可分成若干个小组，每组各选择一条街道，记录下所有商店招牌。可根据各自的兴趣和特长，采用不同的记录形式，如文字、绘画、照片、视频等。

2. 留意招牌中有无错别字，是否违反书写、拼音的规范等。若有类似现象，请记录下来，向店主反映。

（二）整理交流

1. 以小组为单位，设计一个统计表，整理、统计在招牌中发现的错别字及其他毛病。小组间进行交流，补充、完善自己的资料。

2. 各小组合作将记录下来的招牌进行分类，比如杂货店类、饭店类、书店类、服装店类、饰品店类等，然后简要分析各类商店招牌的语言特点。

3. 选择一个你认为设计得最好的商店招牌，在全班交流，说说你对这个招牌的评价。

> 调查访问时，要提前准备好询问的内容，注意交流的方式和态度。
>
> 若对招牌拍照，要向店主人说明自己的意图，取得店主人的许可。
>
> 向店主人提出相关问题时，要有礼貌，态度要诚恳。

二、我来写广告词

提起广告，你首先想到什么？或许是看电视节目时被广告打断的懊恼，或许是某个夸张搞笑的画面。相信很多人可能是因某句妇孺皆知的广告词而将一个广告深深地印在了脑海中。仔细回想一下，哪些广告词让你印象深刻？它们的独特之处在哪里？

（一）分小组搜集不同媒体的广告，如报纸、杂志、广播、电视、网络、路牌、电子屏幕等。记录三条你喜欢的广告词。

（二）就搜集到的某一条广告词思考：

1. 这条广告词的目的是什么？

2. 这条广告词是否精彩？精彩在何处？

（三）下面是四则广告词，前两则是茶叶的广告，后两则是图书馆的公益广告。自选角度赏析，说说你的看法。你最喜欢哪一条？仔细品味，模仿这类广告的语言风格，为你喜欢的商品或某一公共场所写一则广告词。

1. 闻香知好茶。

2. 一杯茶，一份情，一生缘。

3. 轻轻地我走了，正如我轻轻地来。

4. 有了喧哗，自己无法心静；有了打闹，别人无法凝思。

三、寻找"最美对联"

对联是我国传统文化的瑰宝，也是活的文化遗产，现在还普遍应用在我们的日常生活中。无论是在名胜古迹，还是市井闾巷，我们常常会发现对联。这些对联与周

济南后宰门街民居

围的环境相映成趣，充分体现出了汉字的奥妙、魅力和传统文化的意蕴。

（一）分小组查找有关对联的资料，了解对联的基本知识。查找过程中，注意摘抄相关知识，并制作对联知识卡片。每张知识卡片上列一个对联知识，如对联的历史、对联的种类、对联的格律要求等。

（二）各小组广泛搜集对联。同学们不仅要利用书刊、网络，还要注意实地搜集身边的对联，比如居民住宅门口的春联、当地景区的对联等。搜集后，各小组可以根据对联的种类，如春联、寿联、名胜古迹联等，分类整理，形成一个汇总表。

（三）分享交流，评选"最美对联"。小组间分享各自的对联知识卡和对联汇总表。设置若干评选栏目，如"最有趣的对联""最巧妙的对联""最长的对联"等，全班同学投票评选出相应的"最美对联"。

名联欣赏

室雅何须大，花香不在多。（清代郑板桥自题宅联）

四面荷花三面柳，一城山色半城湖。（济南大明湖小沧浪园联）

常德德山山有德，长沙沙水水无沙。（长沙白沙井联）

海纳百川，有容乃大；壁立千仞，无欲则刚。（清代林则徐自题联）

山山水水，处处明明秀秀；晴晴雨雨，时时好好奇奇。（杭州西湖联）

著作最谨严，岂徒中国小说史；遗言犹沉痛，莫做空头文学家。（蔡元培挽鲁迅联）

岳军振难撼威名，扫敌在指顾间，奉诏班师成遗恨；秦贼施摧残毒计，加罪以莫须有，尽忠报国复何人。（杭州岳王庙联）

名著导读

《海底两万里》：快速阅读

凡尔纳预言的实现似乎还远远没有到头，但我们面对这一切，已经惊讶不已，难怪乎有人断言："二十世纪的一切努力都不过是把凡尔纳的预言变为现实的过程而已。"

——徐知免

他的积极方面包括对科学的可能性的痴迷追求、对活生生的地理学的一往情深、对自由的始终不渝的向往和对受压迫者的无限同情、对他生活的时代的政治现实的洞察，以及对一个好故事的孜孜以求。

——奥尔迪斯

曾经有这样一个人：

在人类还没发明电报的时候，他小说中的人物已经在用电报传递信息；

在人类还没制造出飞机的时候，他小说中的人物已经驾驶直升机来往；

在人类还没有着手登月工程的时候，他小说中的人物已经坐在一颗大炮弹里，被巨炮发射到月球上；

…………

这个人就是儒勒·凡尔纳（1828—1905）。他是法国著名的科幻和探险小说家，创作了许多科幻小说，其中的科学幻想如今大部分已变成现实，因此被人们誉为"科学时代的预言家"和"现代科学幻想小说之父"。

《海底两万里》是凡尔纳的"海洋三部曲"之一，也是他的代表作。小说讲述了一个神奇的故事：一位叫尼摩的船长驾驶自己设计制造的潜水艇"诺第留斯[①]号"，在大海中自由航行。而事实上当时人类还没有发明如此先进的潜艇，更没有人潜入过深海底部，这不过是凡尔纳的幻想。小说设想了潜水艇的强大功能，描绘了奇幻美妙的海底世界，体现了人类自古以来渴望上天下海、自由翱翔的梦想，也显示了作者非凡的想象力。

---

① 〔诺第留斯〕英文nautilus的音译，意思是鹦鹉螺。鹦鹉螺内部有许多小室，潜水艇的结构与之相似。

反对殖民压迫也是这部小说的重要主题。主人公尼摩船长不仅是献身科学的探索者，同时也是英勇顽强、反对一切压迫和殖民主义的战士。在他的身上，体现了作者对科学、社会正义和人类平等的不懈追求。

读书方法指导

快速阅读是一种基本的阅读技巧，可以帮助我们尽快地把握全书的内容。特别是像《海底两万里》这样的科幻小说，往往有跌宕起伏的故事情节，有扣人心弦的悬念，读者很急切地想知道故事或者人物的结局，这时不妨采取快速阅读的方式，先把小说读完再说。

快速阅读的能力不是一朝一夕练就的，需要在平时的阅读中加以训练。可以从以下几方面入手。

一、集中精力，专心致志。要全神贯注地读，尽快弄清作品中发生了哪些故事，有哪些人物等，对小说有个概括的了解。

二、以默读为主。要培养默读的习惯，并达到一定的速度。初一阶段，阅读一般的现代文每分钟应不少于400字。同学们不妨拿《海底两万里》中的某一章做一个试验，测测自己的阅读速度到底是多少。

三、眼睛的视域要宽。读的时候尽量不回视，尽量扩大扫视的范围，在短时间内把尽可能多的内容收揽眼底。可以从少到多进行扩大视域的训练，如从一眼扫几个字过渡到扫一行字，再从一行字扩大到多行或者全段，这样速度就能不断提高。

四、善于抓住书中的关键信息和主要线索，有所取舍。如《海底两万里》中的尼摩船长，是全书的核心人物，也是故事发生、发展的关键，对涉及他的语段就需要格外关注。而对文中大段的景物描写、知识介绍，或暂时不能理解的内容、不认识的生字词，可以先跳过去，回头再根据需要和个人兴趣补充阅读。

专题探究

全班共同阅读《海底两万里》，然后根据各自的兴趣选择自己喜欢的专题，也可以另外设置专题，分小组进行探究。

专题一：写航海日记

先绘制一份简单的"诺第留斯号"潜水艇的航行线路图，标明时间、地点。从小说中选择某几个关键的时间点，结合小说的内容，写几则航海日记。

专题二：介绍尼摩船长

小说中的灵魂人物尼摩船长是个怎样的人？请你根据作品内容，以最后返回陆地的法国生物学者阿龙纳斯的身份，给一个亲密的朋友写一封信，向他介绍尼摩船长其人。

专题三：绘制潜水艇简易图

小说中的"诺第留斯号"潜水艇是什么样子的？是根据什么科学原理制造出来的？以什么为动力？内部构造如何？有什么功能？请你绘制一份"诺第留斯号"潜水艇的简易图，标明其各部位的名称和功能，并写一篇简介。然后查找资料，分析这艘科学幻想中的潜水艇和今天的潜水艇有什么异同。

本书值得探究的地方很多，如小说中的海底世界、科学知识等，都可以成为探究的题目。有余力的话，可以再读一下凡尔纳的其他科幻小说，看看其中还预言了20世纪哪些科技成就，哪些已经实现，哪些至今还没有实现。

精彩选篇

这个小房子，说得正确些，就是诺第留斯号的军火库和储藏衣服的地方。墙上挂着十二套潜水衣，等待海底散步者穿戴。

尼德·兰看到这些潜水衣，觉得十分讨厌，不愿意穿。

"你可知道，老实的尼德·兰，"我对他说，"那克利斯波岛的森林是海底下的森林呢！"

"好嘛！"鱼叉手失望地说，因为他吃鲜肉的梦想幻灭了，"阿龙纳斯先生，您自己也要套进这种衣服里面去吗？"

"当然，尼德·兰师傅。"

"先生，您高兴穿您就穿吧！"鱼叉手耸一耸两肩说，"我可不干。除非强迫我，否则我决不套进里面去。"

"人家并不强迫你穿，尼德·兰师傅。"尼摩船长说。

"康塞尔也冒这险去打猎吗？"尼德·兰问。

"不管到什么地方我都跟着先生去。"康塞尔回答。

两个船员，遵照船长的嘱咐，走上来帮助我们穿这些不透水的、沉甸甸的衣服；衣服是用橡胶制成的，没有缝，可以承担强大的压力，不受损伤。应当说这是一套又柔软又坚固的甲胄①。上衣和裤子是连在一起的；裤脚下是很厚的鞋，鞋底装有很重的铅铁板。上衣

----

① 〔甲胄（zhòu）〕盔甲。

全部由铜片编叠起来，像铁甲一般保护着胸部，可以抵抗水的冲压，让肺部自由呼吸；衣袖跟手套连在一起，很柔软，丝毫不妨碍两手的运动。

那些不完备的有缺点的潜水衣，例如十八世纪发明的被人称赞的树皮胸甲，无袖外罩，入海衣，藏身箱等，跟我们眼前这套完美的潜水衣比较，实在是太相形见绌①了。

尼摩船长、他的一个同伴（一个臂力过人，像赫克留斯②一般的大力士）、康塞尔和我，一共四个人，全都穿好了潜水衣。现在只要把我们的脑袋钻进金属圆球中，我们就算装备完了。但在戴上金属圆球之前，我要求尼摩船长给我看一看我们要带的猎枪。

诺第留斯号船上的一个船员拿一支很简单的枪给我看。枪托是钢片制的，中空，体积相当大，是储藏压缩空气的容器，上面有活塞，转动机件，便可以使空气流入枪筒。枪托里面装了一盒子弹，盒中有二十粒电气弹，利用弹簧，子弹可以自动跳入枪膛中。一粒子弹发出之后，另一粒立即填补，可以连续发射。

"尼摩船长，"我说，"这支枪十分好，并且便于使用。我现在真想试试它。不过我们怎样到海底下去呢？"

"教授，此刻诺第留斯号搁浅在海底下十米深处，我们只待动身出发了。"

"我们怎样出来呢？"

"您不久就知道。"

尼摩船长把自己的脑袋钻进圆球帽子里面去。康塞尔和我照着他的动作，各自戴上圆球帽。我们又听到加拿大人讽刺地对我们说了一声"好好地打猎去吧"。我们潜水衣的上部是一个有螺丝钉的铜领子，铜帽就钉在领子上。圆球上有三个孔，用很厚的玻璃防护，只要人头在圆球内部转动，就可以看见四面八方的东西。当脑袋钻进圆球中的时候，放在我们背上的卢格罗尔呼吸器，立即起了作用；就我个人来说，我呼吸很顺利，没有困难。

我腰间挂着兰可夫探照灯，手里拿着猎枪，准备出发。但是，说实在的，穿上这身沉甸甸的衣服，被铅做的鞋底钉在甲板上，要迈动一步，也是不可能的。

但这种情形是预先料到的，我觉得，有人把我推进跟藏衣室相连的一个小房子中。我的同伴，同我一样被推着，跟着我过来。我听到装有阻塞机的门在我们出来后就关上，我们的周围立刻是一片漆黑。

过了几分钟，一声尖锐的呼啸传进我的耳朵。我感到好像有一股冷气，从脚底涌到胸部。显然是有人打开了船内的水门，让外面的海水向我们冲来，不久，这所小房子便充满了水。在诺第留斯号船侧的另一扇门，这时候打开来了。一道半明半暗的光线照射我们。一会儿，我们的两脚便踏在海底地上。

现在，我怎能将当时在海底下散步的印象写出来呢？像这类神奇的事是无法用语言来形容的！就是画笔也不能将海水中的特殊景象描绘出来，语言文字就更不可能了。

尼摩船长走在前面，他的同伴在后面距离好几步跟随着我们。康塞尔和我，彼此紧挨着，好像我们可以通过我们的金属外壳交谈似的。我不再感到我的衣服，我的鞋底，我的空气箱的沉重了，也不觉得这厚厚的圆球的分量，我的脑袋在圆球中间摇来晃去，像杏仁

①〔相形见绌（chù）〕跟另一事物比较起来显得远　　②〔赫克留斯〕希腊神话中的大力士。
　远不如。绌，不够、不足。

在它的核中滚动一般。所有这些物体，在水中失去了一部分重量，即它们排去的水的重量，因此我进一步了解了阿基米德①发现的这条物理学原理。我不再是一块呆立不动的物体，差不多可以说能够运动自如了。

阳光可以照到洋面下三十英尺的地方，这股力量真使我惊奇。太阳光强有力地穿过水层，把水中的颜色驱散，我可以清楚地分辨一百米以内的物体。百米之外，水底现出天蓝一般的渐次晕淡的不同色度，在远处变成浅蓝，没入模糊的黑暗中。真的，在我周围的这水实在不过是一种空气，虽然密度较地上的空气大，但透明的情形是跟地上空气相仿。在我头上，我又看见那平静无波的海面。

我们在很细、很平、没有皱纹、像海滩上只留有潮水痕迹的沙上行走。这种炫人眼目的地毯，像真正的反射镜，把太阳光强烈地反射出去。由此而生出那种强大的光线辐射，透入所有的水层中。如果我肯定地说，在水中深三十英尺的地方，我可以像在阳光下一样看得清楚，那人们能相信我吗？

我们踩着明亮的沙层走动，足足有一刻钟；它是贝壳变成的粉末构成的。像长长的暗礁一样出现的诺第留斯号船身，已经渐渐隐没不见了；但它的探照灯，射出十分清楚的亮光，在水中黑暗的地方，可以指示我们回到船上去。人们只在陆地上看见过这种一道道的十分辉煌的白光，对于电光在海底下的作用，实在不容易了解。在陆地上，空气中充满尘土，使一道道光线像明亮的云雾一样；但在海上，跟在海底下一样，电光是十分透亮的，一点也不模糊。

我们不停地走动，广阔的细沙平原好像是漫无边际。我用手拨开水帘，走过后它又自动合上，我的脚迹在水的压力下也立即就消失了。

走了一会儿，看见前面有些东西，虽然形象仅仅在远方微微露出，但轮廓已清楚地在我眼前浮现。我看出这是海底岩石前沿好看的一列，石上满铺着最美丽的形形色色的植虫动物，我首先就被这种特有的景色怔住。

这时是上午十点。太阳光在相当倾斜的角度下，投射在水波面上，光线由于曲折作用，像通过三棱镜一样被分解，海底的花、石、植物、介壳、珊瑚类动物，一接触被分解的光线，在边缘上显现出太阳分光的七种不同颜色。这种所有浓淡颜色的错综交结，真正是一架红、橙、黄、绿、青、蓝、紫的彩色缤纷的万花筒，总之，它就是十分讲究的水彩画家的一整套颜色！看来实在是神奇，实在是眼福！我怎样才能把我心中所有的新奇感觉告诉康塞尔呢！怎样才能跟他一齐发出赞叹呢！我怎样才能跟尼摩船长和他的同伴一样，利用一种约定的记号来传达我的思想呢！因为没有更好的办法，所以我只好自己对自己说话，在套着自己脑袋的铜盒子里面大声叫喊；虽然我知道，说这些空话消耗的空气恐怕比预定的要多些。

（节选自《海底两万里》，中国青年出版社1961年版。曾觉之译）

---

①〔阿基米德（约前287—前212）〕古希腊物理学家、数学家。文中提到的这条物理学原理，即著名的"阿基米德原理"。

阿西莫夫《基地》

你幻想过人类乘着先进的太空船，在具有高级智能的机器人的帮助下，向其他星球"移民"的场景吗？到那时，人类社会将演进到怎样的形态？人类自身将会有怎样的变化呢？美国科幻小说家阿西莫夫在他的三个重要小说系列——"机器人系列""银河帝国系列""基地系列"中，以深邃的历史洞察力，将科学知识与人文关怀、对未来科学发展的想象和对人类文明进程的沉思结合起来，试着回答这些问题。这三个系列的小说彼此关联而又相对独立，时间跨度以万年计，展现了一幅幅奇伟瑰丽的未来图景。

《基地》是"基地系列"的第一本，包含五个在时间上前后相继的故事，描绘了在遥远的未来，当"银河帝国"步入暮年，即将衰亡之际，以谢顿为首的一群"心灵史学家"在帝国边缘建立基地，以保存人类文明，为迎接未来的复兴做准备的初期过程。在这曲折的过程中，基地上的人们历经多次危机，但都凭借智慧和勇气化险为夷。这也正寄寓了阿西莫夫对人类未来的深刻思考和莫大信心。

J.K.罗琳《哈利·波特与死亡圣器》

翻开这本书，你的身份就变成了"麻瓜"。

无疑，这是一个魔法的国度：壁画中的人物可以打牌聊天，城堡的楼梯能够调转方向，书本可能会咬人，小宠物也许在说话。神奇的咒语和魔药使得这个世界生机勃勃。同时，这又是一个真实的天地：有为准备巫师等级考试而焦头烂额的学生，有不苟言笑、不怒自威的教授，还有祝福和嫉妒相互纠缠的友谊。在九又四分之三站台停靠的列车，载着一群霍格沃茨魔法学校的学生，驶向既精彩纷呈又险象环生的旅程。

"哈利·波特"系列是英国女作家J.K.罗琳创作的魔幻小说系列，《哈利·波特与死亡圣器》作为此系列的最后一部，记叙了主人公哈利和朋友被迫流亡在外，一起寻找并销毁魂器，最终与黑魔王伏地魔展开惊心动魄较量的故事。小说探讨了爱和拯救、忠诚和背叛、善恶共生等话题。在跌宕起伏的故事主线下，信任与背叛、恐惧与迟疑等情感波澜围绕着主人公和他的伙伴们展开，人物性格的多面化被着重刻画。 语言方面，英式幽默贯穿全书，罗琳总不忘让读者在提心吊胆的时候还能莞尔一笑。

泊秦淮① 杜牧

烟笼寒水月笼沙，夜泊秦淮近酒家。
商女②不知亡国恨，隔江犹唱后庭花③。

　　这是诗人夜泊秦淮时触景感怀之作。首句描写了一幅朦胧的水色夜景，渲染出一种凄清的气氛。次句点题，以"近酒家"引发思古之幽情。后两句由一曲《后庭花》引发历史兴衰之感，仿佛已从"商女"那里听到亡国之音，其实是对那些只知寻欢作乐、不以国事为重的达官贵人表示忧虑与愤慨。古诗中常有感慨家国兴亡的主题，像这首诗，就将对历史的咏叹与现实的思考紧密结合，委婉深沉。阅读时注意寓情于景的手法，体味一下那种兴亡之忧融入悲凉意境的沉重感。

① 选自《樊川诗集注》卷四（上海古籍出版社1978年版）。秦淮，即秦淮河，长江下游支流，相传是秦时为疏通淮水开凿。秦淮河流经的南京夫子庙一带，在六朝时十分繁华。杜牧（803—852），字牧之，京兆万年（今陕西西安）人，唐代文学家。
② 〔商女〕歌女。
③ 〔后庭花〕曲名，《玉树后庭花》的简称。南朝陈亡国之君陈叔宝所作，后世多称之为亡国之音。

贾 生④ 李商隐

宣室⑤求贤访⑥逐臣⑦，贾生才调⑧更无伦⑨。
可怜⑩夜半虚⑪前席⑫，不问苍生⑬问鬼神。

　　贾生即贾谊，西汉的政论家，力主改革弊政，却遭谗被贬，郁郁不得志。后来汉文帝召还贾谊，曾在宫殿正室和他谈话。诗人写的就是这件事。首句的一"求"一"访"，似乎能够表现汉文帝的诚意。次句赞美贾生才华横溢，无与伦比。这样的"高人"，难怪皇上也要垂问于他。可是到第三句笔锋一转。皇上问询到半夜，谈着谈着，双膝都挪到贾谊跟前，似乎很是虚心倾听的。其实，汉文帝要垂问的哪是关切百姓的国事，他问的不过是神鬼的事罢了。这首诗写的是汉代，其实是托古讽今，揭示晚唐皇帝求仙访道、不顾国计民生的社会现实，也寄寓诗人怀才不遇的感慨。阅读时注意欣赏本诗先扬后抑、议论精警的特点。

④ 选自《李商隐诗歌集解》（中华书局1998年版）。贾生，即贾谊（前200—前168），洛阳（今属河南）人，西汉政论家、文学家。
⑤ 〔宣室〕汉代未央宫前殿的正室。
⑥ 〔访〕咨询，征求意见。
⑦ 〔逐臣〕被贬谪的大臣。这里指曾被贬到长沙的贾谊。
⑧ 〔才调〕才华，这里指贾谊的政治才能。
⑨ 〔无伦〕无人能比。
⑩ 〔可怜〕可惜。
⑪ 〔虚〕徒然。
⑫ 〔前席〕指汉文帝向前移动座席，靠近贾谊，以便更好地倾听。
⑬ 〔苍生〕指百姓。

过松源晨炊漆公店（其五）① 杨万里

莫言下岭便无难，赚得②行人错喜欢③。
政④入万山围子里，一山放出⑤一山拦。

　　诗人早行在崇山峻岭中，充分领略着山野的乐趣。因为心情闲适，感受更为空灵、独特。首句以否定的形式提出论题，指出下山并不像通常认为的那样轻松容易，人们往往会"上当受骗"，空自欢喜。因为行走在万山深处，即使一座山"放过了你"，还有无数的山在"拦"着你呢！生活的道路何尝不是如此？所以我们最好不要为眼前的顺境所迷惑，要放眼长远，认真对待，才能不断克服困难，履险如夷。这首诗语言明白如话，灵动活泼，幽默诙谐，意趣横生，读时可仔细体会。

约客⑥ 赵师秀

黄梅时节⑦家家雨，青草池塘处处蛙。
有约不来过夜半，闲敲棋子落灯花⑧。

　　这首诗从季节和天气写起："家家雨"，写出"黄梅时节"的天气特征；"处处蛙"，写出江南雨季的特别景致。这样颇具闲情的散淡诗句，又和"约客"有什么关系呢？诗的第三句点题，我们才明白其中的原因：绵绵不绝的雨，一定让友人出行非常困难；耳边不断的蛙声，又多多少少增添了诗人的烦闷。在这样一个寂寞孤独的夜晚，"有约不来"，诗人又将怎样排遣自己的情怀呢？诗的结尾，通过写一个小小的动作，生动而又含蓄地表现出诗人的情态。多少怅惘，多少无奈，尽在这"闲敲棋子落灯花"中。这是一首构思精巧、描写细腻的小诗，诗中的环境描写、动作描写，细致入微地烘托出人物的心理活动。读此诗，我们也可以约略感受到古人的生活情趣。

① 选自《杨万里集笺校》卷三十五（中华书局2007年版）。这个题目下有六首诗，这是第五首。松源、漆公店，在今江西弋阳与余江之间。晨炊，早餐。杨万里（1127—1206），字廷秀，吉州吉水（今属江西）人，自名书室为"诚斋"，世称"诚斋先生"，南宋诗人。
② 〔赚（zuàn）得〕骗得。
③ 〔错喜欢〕空欢喜。
④ 〔政〕同"正"。
⑤ 〔放出〕这里是把行人放过去的意思。

⑥ 选自《清苑斋集》（《永嘉四灵诗集》，浙江古籍出版社1985年版）。赵师秀（1170—1219），字紫芝、灵芝，号灵秀、天乐，永嘉（今浙江温州）人，南宋诗人。
⑦ 〔黄梅时节〕夏初江南梅子黄熟的时节，即梅雨季节。
⑧ 〔灯花〕灯芯燃烧后结成的花状物。

后　记

　　义务教育课程标准教科书《语文》（七～九年级）由教育部组织编写，北京大学中文系温儒敏教授担任总主编。

　　由王宁、张联荣、柳士镇、方智范、谭邦和、梁捷、郑桂华、陈双新、王岱等先生组成的语文教材审查组，提出了很多宝贵的修改意见；在教育部的组织下，众多一线优秀教师反馈了很多意见和建议；人民教育出版社在组织编写、编辑制作、设计印制等方面给予了全方位的协助，中语室全体同仁始终是教科书编写的中坚力量。教科书编写和审查过程中，先后两次在北京、山东、吉林、广东、四川、湖北、甘肃等省、市一些学校试教试用，为教材的进一步完善提供了保障。此外，对教科书的编写、出版提供过帮助的同仁和社会各界朋友还有很多，在此一并表示诚挚的谢意。

　　感谢吕敬人先生为本套教科书的整体设计提供了艺术指导，感谢丁永康先生为本套教科书"读读写写"栏目撰写了硬笔书法范字。

　　本套教科书选文的作者，多数我们已经取得了联系。少数作者信息不详，暂时未能联系上。敬请这些作者与我们联系，以便支付稿酬。

　　我们真诚地希望广大教师、学生和家长在使用本册教科书过程中提出宝贵意见，我们将集思广益，不断修订，使教科书趋于完善。

联系方式
电　　话：010-58758628
电子邮箱：jcfk@pep.com.cn

编者
2016年10月

念奴娇·赤壁怀古

宋·苏轼

大江东去，浪淘去，千古风流人物。

故垒西边，人道是，三国周郎赤壁。

乱石穿空，惊涛拍岸，卷起千堆雪。

江山如画，一时多少豪杰。

遥想公瑾当年，小乔初嫁了，雄姿英发。

羽扇纶巾，谈笑间，樯橹灰飞烟灭。

故国神游，多情应笑我，早生华发。

人生如梦，一尊还酹江月。